Collection OUT

Gérard VIGNER

Savoir-vivre
en France

Hachette

Table des matières

Les illustrations sont de Claude LACROIX,
les photographies de Daniel DANZON,
les dessins des pages 32-33 de PEUNORS / MARIE-CLAIRE.

ISBN 2.01.004505.X

Présentation

Le savoir-vivre *est constitué par l'ensemble des règles que les hommes ont établies pour organiser une vie en commun sans heurts graves, où règnent le plus possible paix et sécurité dans les rapports.*

Savoir vivre, c'est alors savoir s'introduire dans un groupe et, dans cette intention, adopter ses coutumes, sa manière d'être et de dire. Savoir vivre, c'est avoir aussi la volonté d'établir, d'entretenir et de renforcer les liens d'amitié.

Le savoir-vivre, en définitive, c'est ce qu'un peuple a de plus personnel, ce qui certainement le caractérise le mieux. C'est pourquoi il n'est jamais le même d'un pays à l'autre, d'une région à une autre parfois. Mieux connaître un pays ce sera non seulement connaître sa géographie, son histoire, sa culture, mais aussi connaître son savoir-vivre, c'est-à-dire toutes les règles, non écrites pour la plupart, qui organisent la vie quotidienne de chacun.

Pendant très longtemps, en effet, tout ce qui se rapportait au savoir-vivre était une suite de règles où l'on expliquait aux gens comment il fallait faire, par exemple, pour disposer à sa table une duchesse douairière, un archevêque, un contre-amiral et un préfet, ou bien comment il fallait rédiger une lettre adressée à un abbé mitré, à une marquise, au Pape ou à une Altesse Sérénissime. Ce sont là des problèmes qui peuvent se poser, mais ils n'intéressent qu'un nombre réduit de personnes.

Par contre, savoir s'exprimer dans les rapports ordinaires que l'on a avec les autres personnes, savoir se comporter dans la vie de tous les jours avec les gens, relève d'un vrai savoir-vivre, peu spectaculaire, mais dont la connaissance est essentielle si l'on souhaite établir avec les Français de meilleurs contacts.

Les points du savoir-vivre que l'on abordera dans cet ouvrage seront les suivants :

— *savoir saluer, savoir se présenter,*
— *le téléphone,*
— *savoir vivre avec les femmes,*
— *invitations,*
— *fêtes,*
— *savoir dire,*
— *savoir écrire.*

Beaucoup de ces questions ont été traitées de telle sorte qu'elles puissent donner lieu à une exploitation en classe, sous forme de conversation ou de simulation, les élèves étant invités à jouer un rôle et à adapter leur comportement et leur langage à ce rôle. A la fin de certains chapitres, les situations *permettent de mettre en application certaines règles ou certains usages.*

Mais il reste que, pour l'essentiel, cet ouvrage est destiné à aider les lecteurs à se sentir plus à l'aise dans leurs rapports avec les Français, à mieux comprendre leurs réactions et leur façon d'être. Savoir vivre, c'est aussi savoir accepter les autres comme ils sont.

Savoir saluer... se présenter

Comment saluer une personne que l'on rencontre, comment se présenter à elle ?
Mais tout d'abord une question.
S'agit-il...

Dire bonjour à quelqu'un, lui serrer la main, sont des actes ordinaires de la vie quotidienne, au point que l'on finit souvent par ne plus y prêter attention. Cela semble naturel, cela semble aller de soi.

En fait, à chaque fois que l'on prend contact avec une ou plusieurs personnes, on manifeste le désir d'entrer en relation avec cette personne, ou ce groupe. C'est pourquoi il convient de respecter certains usages, peu spectaculaires d'ailleurs si on les compare à ceux que l'on pratiquait autrefois. Les ignorer risque d'entraîner de regrettables malentendus.

Mais tout d'abord, pourquoi de telles questions, un ami, une jeune femme, une personne âgée... ? C'est que la façon de saluer, de prendre contact ne sera pas la même selon que vous vous adresserez :

— à un homme ou à une femme,
— à une personne plus âgée ou moins âgée que vous,
— à quelqu'un qui occupe soit dans la vie professionnelle, soit dans la vie sociale une place plus élevée ou moins élevée que la vôtre,
— à un ami, un parent, une simple relation ou à une personne qui vous est entièrement étrangère.

Cela dépendra aussi de :
— votre âge,
— votre sexe,
— votre position dans la vie,
— l'état de vos relations avec la personne à laquelle vous vous adressez.

Lorsque vous aurez à tendre la main à quelqu'un ou à lui parler, il faudra que vous teniez compte de l'ensemble de ces données. Un rituel simplifié, certes, mais qui n'est quand même pas encore très simple.

Procédons par étapes, chaque cas mérite examen.

I

Vous croisez dans la rue, dans un couloir, une personne que vous connaissez, mais vous êtes pressé. Vous ne vous arrêtez pas.

Si cette personne est assez éloignée de vous, de l'autre côté de la rue, par exemple, vous pourrez faire un bref signe de la main, pour montrer que vous l'avez reconnue. Vous pouvez aussi incliner légèrement la tête.

Si vous, monsieur, vous **portez un chapeau,** vous devez l'ôter.

Vous le remettrez immédiatement après avoir croisé la personne que vous avez reconnue.

ATTENTION

Si la personne que vous croisez ne vous regarde pas, c'est qu'elle ne souhaite manifestement pas être reconnue, qu'elle ne désire pas vous parler. Il vaut mieux, dans ce cas-là, passer et faire comme si vous ne l'aviez pas vue.

2

Vous vous arrêtez

Qui doit saluer le premier ? Autrefois cela aurait donné lieu à de longs débats. Nous dirons aujourd'hui que ce sera la personne la plus rapide.

Comment saluer ? S'il s'agit d'un homme et qu'il porte un chapeau, il devra obligatoirement se découvrir. Il le remettra immédiatement s'il se trouve avec un ami ou une personne qu'il connaît bien. S'il s'agit d'une personne plus haut placée ou d'une femme, il attendra qu'on lui donne l'autorisation de se couvrir.

ATTENTION

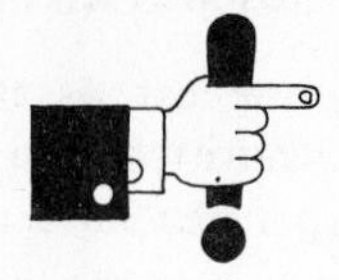

Par principe, quand on entre soit chez quelqu'un, soit dans un bureau ou une église, on veillera, si l'on est un homme, à rester nu-tête. En fait le problème se pose de moins en moins, car les hommes ont de plus en plus l'habitude d'aller tête nue. Mais ce ne fut pas toujours le cas et l'exemple de ces paysans bretons du début du siècle montre combien les mœurs peuvent changer :

Le chapeau, c'est la noblesse de Jacques Bonhomme. Il ne l'enlève qu'à l'église ou devant les morts, et c'est pour le tenir plaqué à deux mains contre sa poitrine; ou il le descend largement, les rubans à ras de terre, en l'écartant du corps comme fait un officier de son sabre, et c'est pour honorer les rares personnes qu'il estime, pas toujours les puissants, pas souvent les riches. Il le garde sur la tête quand il mange chez lui ou chez les gens de sa compagnie. Ainsi faisaient les charbonniers sous les rois quand ils se voulaient maîtres dans leur cabane. Ainsi fera-t-il de sa casquette quand il n'aura plus de chapeau. Un homme à tête nue est un homme diminué, humilié, offensé. Il y a une chanson en breton qui raconte la montée du Christ au Golgotha. Il est épuisé, meurtri par les chutes et le bois de la croix, couvert de plaies et de crachats, mais le pire c'est qu'il n'a plus le moindre chapeau sur la tête.

Pierre Jakez Hélias, *Le cheval d'orgueil,* Plon.

Jacques Bonhomme : nom donné, dans la tradition, au personnage qui représente le paysan français.

3

Vous vous serrez la main

La poignée de main

La façon la plus habituelle de se saluer est de **tendre la main pour serrer celle que vous tend l'autre personne.**

ATTENTION

En France, **on se serre très fréquemment la main,** à chaque fois que l'on se rencontre et que l'on se quitte, sauf si, bien entendu, on se retrouve plusieurs fois dans la journée dans le même lieu.

Ne pas serrer la main serait interprété comme **un signe de froideur,** ce pourrait même être pris pour de l'impolitesse.

« Ce sont les Anglais qui ont inventé le « shake-hand » et ce sont les Français qui s'en servent. »

Pierre DANINOS

Deux remarques à ce sujet :

— ne gardez pas trop longtemps la main que l'on vous a tendue, cela paraîtrait bizarre ;

— il n'est pas utile de secouer très fortement la main, au point d'ébranler toute la personne ;

— une poignée de main franche et vigoureuse sera toujours appréciée, c'est vrai. Mais serrer une main n'est pas la broyer. Songez aux personnes qui portent des bagues.

Qui doit tendre le premier la main ?

Généralement ce sera :

— la femme à l'homme,

— la personne la plus âgée à celle qui est la moins âgée,

— le supérieur à la personne subalterne.

Vous rencontrez un groupe de personnes, dans quel ordre allez-vous saluer les gens ?

Vous serrerez d'abord la main des femmes, puis des hommes, en commençant à chaque fois par la personne la plus âgée.

Deux couples se rencontrent :

Les deux femmes se saluent, puis chaque homme salue l'autre femme et enfin les deux hommes se saluent.

Tout ceci, bien entendu, pour le cas où vous rencontrez ce que l'on appelle de simples connaissances, des relations, des collègues de travail.

S'il s'agit de parents, d'amis ou d'amies très cher(e)s, dans ce cas-là...

4

Vous vous embrassez

Vous embrasserez, sur les deux joues, un parent, une amie intime.

Il est fréquent en France que deux amies s'embrassent ; chez les hommes c'est beaucoup plus rare. Deux amis qui ont plaisir à se revoir après une longue absence se donneront l'accolade.

ATTENTION

Embrasser quelqu'un sur la bouche, donner un baiser en somme, ne se fait qu'entre personnes du sexe opposé, lorsqu'elles s'aiment. Dans tout autre cas, un tel comportement serait mal interprété.

Le baise-main

L'usage du baise-main, reconnaissons-le, tend à se perdre. Certains pourront le regretter. Le spectacle d'un homme s'inclinant devant une femme pour lui effleurer des lèvres la main qu'elle lui présentait ne manquait pas de charme, pour quelques-uns du moins. Cela se pratique encore dans certaines réceptions, dans ce qu'il est convenu d'appeler la haute société. De toutes les façons, si vous, monsieur, vous trouvez en situation de baiser la main d'une dame, que ce soit avec simplicité, discrétion. Évitez surtout de vous casser en deux et de claquer les talons. Ces usages ne sont plus de mode.

ATTENTION

Tout ce que nous venons d'indiquer ne se pratique qu'avec des personnes que l'on connaît déjà, ou, du moins, avec lesquelles on a déjà pris rendez-vous.

Dans tout autre cas, si vous avez un renseignement à demander à quelqu'un dans la rue, dans un bureau, vous vous contenterez de dire « bonjour » et d'exposer immédiatement l'objet de votre entretien.

5

Les premières paroles

Vous venez de serrer la main à la personne que vous venez de rencontrer.

Qu'allez-vous lui dire ?

Il est hors de question d'entamer une quelconque conversation avant d'avoir prononcé les quelques formules d'usage :

— **souhaiter** tout d'abord **une bonne journée,**
— **demander des nouvelles** de la personne à laquelle on s'adresse.

Mais avant toute chose, **les présentations.**

Les paroles de bienvenue

Comment s'adresser aux gens ?

à une personne que l'on ne connaît pas ou fort peu :
Bonjour, monsieur.
Bonjour, madame.

à une relation de travail, une connaissance :
Bonjour, Thibault.

On notera qu'à la différence, par exemple, de ce qui se fait dans certains pays comme les États-Unis, on ne prend pas très rapidement l'habitude d'appeler par leur prénom les relations de travail. Il y a toutefois une certaine évolution dans ce sens chez les jeunes.

à un ami :
Bonjour, Jean.

avec familiarité :
Salut, Thibault.
Salut, Jean.

Mais jamais : Salut, monsieur.

Lorsque l'on s'adresse à une femme, on lui dira :
Bonjour, madame.
Bonjour, Annie.

Mais il n'est pas habituel de l'appeler par son nom, comme cela peut se faire avec un homme.

Il n'est pas habituel, non plus, de dire à quelqu'un :
Bonjour, monsieur Thibault.

Cela introduit une nuance de supériorité de la part de la personne qui parle, nuance qu'il convient d'éviter, du moins lorsqu'elle n'est pas intentionnelle.

Si vous vous adressez à un médecin, vous direz :
Bonjour, docteur.

Si vous vous adressez à un militaire :

Bonjour, mon commandant / capitaine / colonel.

Mais une femme dira :
Bonjour, colonel.

Mais on ne vous en voudra pas, madame, si vous dites : « Mon colonel » à un colonel.

Ce point délicat ainsi traité, abordons le problème de ces formules toutes faites, d'un usage quasi automatique, mais qu'il faut cependant absolument employer.

Les nouvelles que l'on demande

Deux cas doivent être envisagés, suivant que vous dites « tu » ou « vous », suivant que vous vous situez dans un registre soutenu, avec des supérieurs ou des personnes que vous ne connaissez guère, ou dans un registre plus familier, avec des parents ou des amis, dans le cadre d'une conversation détendue.

vous	tu
comment allez-vous ?	comment vas-tu ?
vous allez bien ?	tu vas bien ?

ça va ? ça va bien ?
ça marche ?

Questions auxquelles vous répondrez, non moins automatiquement :

soutenu ↕ familier

— fort bien, je vous remercie,
— ça va bien, merci,
— ça va,
— pas mal, merci,
— ça marche,
etc.

ATTENTION

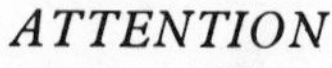

Comment allez-vous ?
Très, très bien, merci. Et vous ?

Signalons, à ce sujet — c'est d'ailleurs la même chose dans les autres pays —, qu'une question comme « ça va ? » ne peut appeler comme réponse qu'un : « ça va bien, merci ». C'est **une simple formule de prise de contact.** Votre interlocuteur ne s'intéresse pas en fait à votre santé. Il faut vraiment que les choses aillent très mal et que la personne qui s'adresse à vous fasse vraiment partie de vos connaissances pour que vous lui disiez : « Non, tu sais, ça ne va pas du tout. » Dans tout autre cas, « ça va, ça va même très bien ». Ces brefs échanges verbaux permettent ainsi d'amorcer une conversation.

Mais il se peut aussi que la personne qui vous parle s'intéresse réellement à vous, et demande même des nouvelles de votre famille, de vos amis, et cela pourra donner lieu à une aimable conversation de ce type :

CONVERSATION

(sur le pas de la porte, avec bonhomie)

Comment ça va sur la terre?
— Ça va, ça va, ça va bien.

Les petits chiens sont-ils prospères?
— Mon Dieu oui, merci bien.

Et les nuages?
— Ça flotte.

Et les volcans?
— Ça mijote.

Et les fleuves?
— Ça s'écoule.

Et le temps?
— Ça se déroule.

Et votre âme?
— Elle est malade.

Le printemps était trop vert
elle a mangé trop de salade.

Jean Tardieu, *Le fleuve caché,* Gallimard.

Lorsque l'on s'adresse à quelqu'un en français, il faut choisir entre le **« tu »** et le **« vous ».**

L'usage est relativement délicat, dans la mesure où il n'existe pas de règles strictes. Nous nous bornerons à signaler les usages les plus courants :

ATTENTION

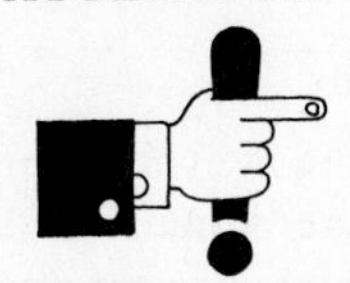

On se tutoie :

— entre époux,

— entre frères et sœurs, quel que soit leur âge,

— entre parents et enfants,

— entre proches parents,

— entre enfants, entre jeunes gens et jeunes filles travaillant ou vivant dans le même milieu (école, lycée, clubs sportifs, université...),

— entre personnes liées par une situation commune (associations, militants de partis politiques, clubs de vacances, personnes travaillant dans une même entreprise),

— entre adultes amis de longue date et plutôt entre amis du même sexe.

On se vouvoie :

— entre personnes qui ne se connaissent pas,

— entre personnes qui n'ont entre elles que peu de liens,

— entre inférieur et supérieur.

Signalons que le tutoiement tend à être de rigueur dans certains milieux de travail, parmi les jeunes, sans qu'il y ait pour autant une règle précise.

Il n'y a pas de règles non plus pour préciser de quelle manière se fait le passage du **« vous »** au **« tu ».** Attendez que l'on vous tutoie, ce sera plus simple.

De toutes les manières, **ne tutoyez pas systématiquement,** ce serait perçu comme un excès de familiarité et peu apprécié en définitive.

Les présentations

Il vous arrivera d'avoir à **présenter une personne que vous connaissez à une autre qu'elle ne connaît pas.**

Vous présenterez :

— l'homme à la femme, puis la femme à l'homme ;

— la personne la moins âgée à la personne la plus âgée, puis inversement ;

— la personne en position subalterne au supérieur, puis inversement.

Ce sera à la femme, à la personne la plus âgée, au supérieur à tendre la main le premier.

Il n'est pas utile de prononcer les formules telles que : « Enchanté / Heureux / Ravi de faire votre connaissance. » Elles sont de plus en plus perçues comme artificielles.

Si vous présentez un couple, vous direz : « Monsieur et Madame Thibault ».

Comment présenter et appeler une femme ? La tradition veut que l'on dise « Madame » à une femme mariée, et « Mademoiselle » à une personne qui n'est pas mariée. Vous pourrez toujours le vérifier en examinant l'annulaire de la main gauche où se porte l'alliance.

Il faut aussi signaler, à la différence de ce qui se pratiquait autrefois, que l'on n'appelle plus « Mademoiselle », une personne non mariée lorsqu'elle est âgée. Par principe, dès que vous vous adresserez à une femme d'un certain âge, il faut l'appeler « Madame ».

Vous vous séparez

Si vous venez de vous adresser à une personne pour lui demander un renseignement, à un employé, à une vendeuse, vous vous contenterez d'incliner légèrement la tête en disant : « Je vous remercie, au revoir, monsieur/madame ».

Suivant la nature des rapports qui vous lient à la personne que vous allez quitter :

— vous vous serrerez la main ;

— vous vous embrasserez ;

Vous direz :

— Au revoir, monsieur (madame, Jean). (Voir plus haut sur la façon de s'appeler.) A un ami, vous pourrez dire de façon plus familière : « Salut ».

ATTENTION

On ne dit pas « Adieu » qui signifie que la séparation sera définitive (sauf dans le Midi de la France). On est toujours supposé pouvoir se revoir un jour.

Il est habituel de faire suivre « Au revoir » d'une formule destinée à rappeler que l'on compte se revoir d'ici quelque temps.

Vous direz :

— Au revoir, à un de ces jours,
si vous n'avez aucune idée du moment où vous pourrez vous revoir.

— Au revoir, | à bientôt,
| à plus tard,

si vous devez vous revoir assez prochainement.

— Au revoir, | à tout à l'heure,
| à ce soir,
| à demain,
| à la semaine prochaine,

si vous êtes certain de la date et du moment de votre prochaine rencontre.

Deux amis pourront se dire :

— Salut, à la prochaine.

Suivant les circonstances ou le moment de la journée, vous pourrez dire ou ajouter :

— Bon appétit (vous vous quittez avant le moment du repas).

— Bon dimanche (vous vous quittez le vendredi soir ou le samedi).

— Bonne soirée.

— Bonne nuit, | dormez bien,
| reposez-vous bien.

Évoquons, pour terminer sur ce point, une brève rencontre. Elle nous montrera comment deux personnes peuvent faire connaissance, l'espace de quelques heures, et comment s'organise cette brève amitié.

ON SE DIT « TU »?

Elle avait dix-huit ans. Je n'en ai pas le double. A l'extrémité du compartiment, elle se tassait, recroquevillée, un gros sac de cuir sur les genoux. De temps en temps un regard. Dans un crissement de ferraille, le train rythmait nos deux solitudes.

Ralentissement. Arrêt. Nuit noire. Le silence.
« Où sommes-nous?
— A Annemasse.
— Vous allez où comme ça?
— Grenoble. Et vous?
— Moi, je vais à Annecy.
— Qu'est-ce que vous faites dans la vie?
— Bof!
— Ça vous plaît?

— Je n'aime pas l'école. On apprend des choses qui ne m'intéressent pas.
— C'est juste. Mieux vaut apprendre par soi-même. On s'y donne au moins tout entier.
— La contrainte, la contrainte. On passe toute sa vie à se contraindre. Il faut faire ceci; il faut faire cela; il faut travailler pour vivre. Nous nous mutilons...
— On se dit « tu »?
— O.K.! T'es vachement sympa!
— Et dire que nous avons failli ne pas nous rencontrer!
— Quoi, qu'est-ce que tu dis? »
Tacatac, tacatac. Le train roule de plus en plus vite. Les collines jettent leur tache d'encre dans le ciel.
« La plupart des gens portent des masques. On se méfie. Nous ne savons plus qui nous sommes, ni ce que nous devenons.
— Ces masques, eh bien, arrachons-les!
— Oui, tiens, voilà! On se dit « tu »?
— T'es beau, tu sais!
— Toi aussi, tu es belle! »
On parle et soudain :
« Tu as l'heure?
— Pour quoi faire? Je ne porte jamais de montre.
— Moi non plus. »
Contrôle! Vos billets, s'il vous plaît! Merci!
« On est bien comme ça tous les deux! »
Le train s'essouffle, ralentit. Crissement à vous crever les tympans. Il s'arrête.
« Je suis arrivée.
— Tu t'appelles comment?
— Annecy! Et toi?
— Annemasse. »

Claude Antropius, *Le Monde,* 5 décembre 1976

Que faire? Que dire?

SITUATION 1

Vous êtes au supermarché et vous rencontrez cette personne. Elle s'appelle Françoise Calvet.

1er cas :

Françoise Calvet est votre cousine. Qu'allez-vous faire ?

- ☐ incliner légèrement la tête pour la saluer,
- ☐ lui serrer la main,
- ☐ l'embrasser.

Qu'allez-vous lui dire pour commencer ?

2e cas :

Françoise Calvet est une grande amie. Qu'allez-vous faire ?

- ☐ incliner légèrement la tête pour la saluer,
- ☐ lui serrer la main,
- ☐ l'embrasser.

Qu'allez-vous lui dire pour commencer ?

3e cas :

Françoise Calvet est une voisine que vous rencontrez de temps en temps et avec qui vous discutez parfois. Qu'allez-vous faire ?

- ☐ incliner légèrement la tête pour la saluer,
- ☐ lui serrer la main,
- ☐ l'embrasser.

Qu'allez-vous lui dire pour commencer ?

4e cas :

Vous ne connaissez pas cette personne. Vous vous adressez à elle pour lui demander simplement un renseignement. Qu'allez-vous faire ?

- ☐ incliner légèrement la tête pour la saluer,
- ☐ lui serrer la main,
- ☐ l'embrasser.

Qu'allez-vous lui dire pour commencer ?

SITUATION 2

Vous vous présentez dans ce bureau pour demander un renseignement ou pour exposer un problème. Vous êtes accueilli par cette personne.

1er cas :

Vous êtes une femme. Que va dire ce monsieur pour vous accueillir ?

2e cas :

Vous êtes un collègue de bureau. Comment allez-vous être accueilli ?

3e cas :

Vous êtes le responsable de l'entreprise dans laquelle travaille ce monsieur et vous passez dans son bureau pour régler rapidement une question. Comment serez-vous accueilli ?

SITUATION 3

Pierre Courtois, à gauche, Mireille Le Floch à droite.

Deux personnes s'adressent la parole. L'une est derrière un guichet, assise, c'est une employée ; l'autre vient demander un renseignement.

Comment se feront les présentations, et que vont-ils commencer à se dire suivant qu'il s'agit :

— d'un client qui demande un renseignement,
— d'un ami qui rend visite à une amie à son lieu de travail,
— du chef de bureau qui a besoin qu'on lui rende un service,
— du fiancé de l'employée qui passant dans les environs a voulu lui dire bonjour ?

Dans chacun de ces cas, comment se sépareront-ils ? Que se diront-ils ?

SITUATION 4

Être en retard, cela peut toujours arriver...

... mais pour celui à qui on avait donné rendez-vous et qui attend, cela n'est jamais très agréable. **Supposons donc que vous ayez rendez-vous avec le monsieur qui regarde sa montre. Il devait vous prendre en voiture. Appelons-le Lucien Blanchet. Importuné et inquiet à la fois par ce retard, vous avez pu vous rendre au garage où vous saviez qu'il faisait réviser sa voiture.**

Qu'allez-vous lui dire et comment allez-vous vous adresser à lui selon que :

— vous êtes sa femme (il devait vous emmener au restaurant),
— vous êtes son patron (il devait vous conduire à un rendez-vous important),
— vous êtes son ami (vous deviez aller prendre un verre ensemble),
— vous êtes un client de l'entreprise où il travaille (vous deviez aller ensemble à l'usine pour examiner un nouveau produit) ?

SITUATION 5

Un bureau, trois employés :
— en haut, Pierre Fabre,
— au milieu, Jean Bally,
— en bas, Philippe Tardieu.

1 / Pierre Fabre rentre dans le bureau.

— Comment va-t-il saluer ses collègues de bureau ? Comment vont-ils répondre ?

2 / Pierre Fabre s'en va.

— Comment va-t-il saluer ses collègues ? Comment vont-ils répondre ?

3 / Pierre est un chef de service important :

— Comment va-t-il saluer les employés de ce bureau ?
— Comment ceux-ci vont-ils lui répondre ?

SITUATION 6

Vous marchez dans la rue et vous voyez cette aimable jeune femme se diriger vers vous. D'après son allure générale et l'expression de son visage :

☐ elle va passer, vous saluant légèrement d'une inclinaison de la tête,
☐ elle va s'arrêter et bavarder avec vous.

Pourquoi, selon vous ?

Imaginons maintenant que cette jeune femme s'arrête.

Que va-t-elle faire ? Que va-t-elle dire, selon que vous êtes :

— une vieille dame,
— une jeune fille,
— un jeune homme,
— un vieux monsieur,

et que dans chacun de ces cas vous êtes :

— un(e) parent(e),
— un(e) ami(e),
— une relation de travail / une connaissance ?

le téléphone

L'usage du téléphone pose beaucoup moins de problèmes. Une chose cependant : il faut toujours se rappeler que la personne que vous appelez ou qui vous appelle, ne vous voit pas, qu'elle peut très bien ne pas reconnaître votre voix et même qu'elle peut fort bien ne pas vous connaître du tout.
Une règle donc à se rappeler : dire très rapidement qui vous êtes et indiquer aussi la raison de votre appel.

Vous appelez — Il faut tout d'abord bien vous assurer que la personne à laquelle vous désirez parler est bien celle qui se trouve au bout du fil (une erreur de numéro ou un changement de numéro du correspondant est toujours possible).

On pourra dire, par exemple :

- **Si vous appelez un ami ou une amie :** — Allô, c'est toi | Nicole ? / Pierre ?
- **Si vous appelez une personne que vous connaissez moins bien :** — Allô, je suis bien | chez M. Thibault ? / au domicile de M. Thibault ?
- **Si vous appelez un organisme, une entreprise, une administration :** — Allô, | la Préfecture ? / la Mairie ? / la Librairie Hachette ? / l'aéroport ?

— Vous êtes maintenant rassuré sur l'identité de votre correspondant ; il faut vous présenter.
Vous direz, par exemple :

- **Si vous appelez un ami ou une amie :**

— Ici, Jacques...
Valérie...
.....

- **Si vous appelez une personne que vous connaissez moins bien :**

— Ici, Bertin...
Pierre Bertin...

— Bertin à l'appareil...

— Ici, Mme Thibault... (si vous êtes une femme).

— Ici, Catherine Thibault... (si vous êtes une jeune fille).

- **Si vous appelez une administration ou une entreprise :**

Il se peut fort bien, dans ce cas, que votre nom ne dise rien à la personne que vous appelez. Il vaut mieux lui indiquer simplement votre qualité (profession, situation...), ce sera beaucoup plus utile pour la personne qui vous écoute.

— Je travaille à tel endroit et je voudrais savoir si...
— Je suis étudiant boursier à... et je...
— J'habite à...
— Je voudrais aller à...

- **Si vous appartenez à une administration ou à une entreprise et que vous téléphoniez depuis le bureau :**

Il faudra tout d'abord indiquer le nom de la maison dans laquelle vous travaillez (si la communication a un caractère professionnel).

— Ici l'agence de voyage Jumbo.

ou bien... — Ici l'agence de voyage Jumbo, service des vols charters.

ou encore... — Ici l'agence de voyage Jumbo, Jean Thibault, du service des vols charters.

Vous êtes appelé

— Si la communication, pour une raison ou une autre, est coupée, ce sera à vous de rappeler.

— Si vous avez commis une erreur en formant le numéro, il ne faudra pas oublier de vous excuser auprès de la personne que vous avez dérangée : « Excusez-moi, monsieur. » « Excusez-moi, madame. »

— Vous vous nommez le plus rapidement possible :

— Thibault à l'appareil.
— Jean Thibault à l'appareil.
— Ici, Jean.

— Si c'est une autre personne que vous qui est demandée, vous priez votre correspondant de patienter :

— Un instant, je vous le passe.

— Veuillez attendre un petit instant, je vais le chercher,
etc.

La conversation peut alors s'engager.

Un dernier conseil pour terminer :

— Ne pas occuper trop longtemps le téléphone lorsque l'on est dans une cabine.

— Éviter de téléphoner après 22 heures chez des particuliers, sauf urgence bien entendu.

SITUATION I

Cette dame a quelque chose à dire à son fils. Elle lui téléphone à son bureau. Mais ce n'est pas lui qu'elle a au bout du fil : c'est un de ses collègues.

Que va-t-elle lui dire ? Que va-t-on lui répondre ?

On vient d'appeler le fils. Comment s'engage la conversation ?

SITUATION 2

Une conversation téléphonique.

1 / D'après leur conversation, quel est le type de relation qui existe entre ces deux personnes :

— amie / amie,
— étrangère / étrangère,
— supérieure / inférieure ?

2 / Quelle serait la réponse d'Annie (image 2), si :

— Liliane était une simple connaissance ?
— Liliane était la fille de son patron ?

3 / Supposons (image 3) que Liliane expose non plus un problème sentimental, mais un problème professionnel à son chef de bureau. Celui-ci est pressé. Comment lui répondrait Liliane ?

4 / Comment va s'achever cette conversation, en supposant que Liliane finisse par se calmer ?

Image 1

Image 2

Image 3

Image 4

Marie-Claire, avril 1977

Savoir vivre avec...
...les femmes

La façon de se comporter avec les femmes a beaucoup évolué.

Hier, par exemple...

aujourd'hui...

Autrefois, simple femme au foyer, chargée d'élever les enfants et de s'occuper de son intérieur. Aujourd'hui, travaillant au dehors, citoyenne responsable. Les temps ont donc bien changé. C'est maintenant chose acquise, LA FEMME EST L'ÉGALE DE L'HOMME.

A force de lutter, la femme a réussi à s'imposer à l'homme pour obtenir, à travail égal, salaire égal, égalité des chances dans l'accès aux responsabilités, etc.

Donc, nous pouvons le répéter, LA FEMME EST L'ÉGALE DE L'HOMME. Mais, messieurs, attention ! L'erreur serait de croire qu'il faut désormais considérer la femme comme un être ordinaire, identique à l'homme, et la traiter comme telle. Grave, très grave erreur !

TRÈS, TRÈS MAUVAIS **EXCELLENT**

ÉGALE, CERTES, MAIS DIFFÉRENTE

Les Français ont pendant très longtemps été fiers de la façon qu'ils avaient de manifester leur respect et leur amour de la femme, ce qui fut la fameuse « galanterie française ».

Qu'en reste-t-il aujourd'hui ? Peu de choses, diront certains. Les femmes ne bénéficient plus maintenant de toutes les marques de respect dont elles étaient jadis entourées (celles du moins qui appartenaient à l'aristocratie ; chez les femmes du peuple, la lutte permanente contre la misère donnait à la « galanterie » une tout autre allure).

Mais de tout ce rituel, il subsiste encore mille et un petits gestes qui sont là pour rappeler que la femme est à la fois digne de respect (il faudra donc le lui témoigner en diverses circonstances) et qu'elle doit aussi être protégée, car elle est un être fragile et précieux.

Tout homme bien éduqué devra, même aujourd'hui, se plier à ces usages, sous peine de passer pour un malappris ou un grossier personnage.

Dans la rue — De même qu'il existe un Code de la Route pour régler la conduite des automobiles, il existe un code de conduite avec les femmes, et il convient de le respecter.

Vous croisez une femme que vous connaissez.

Vous saluez (voir p. 7).

Si vous vous trouvez dans un passage étroit, vous devez vous effacer pour la laisser passer.

Vous dépassez une femme que vous connaissez.

Vous saluez (voir p. 7).

De façon générale, vous veillerez à ne pas la bousculer, à ne pas la gêner. Si par hasard vous êtes très pressé et que vous vous trouvez dans un passage étroit ou dans un endroit où il y a beaucoup de monde, vous vous excuserez : « Pardon, madame/ S'il vous plaît, madame... »

Votre chemin croise celui d'une dame. Vous devez céder le passage.

ATTENTION

Vous accompagnez (vous, monsieur) une dame dans la rue. L'usage veut qu'on la laisse marcher le long des vitrines.

S'il se produit un quelconque encombrement, vous passerez devant pour lui ouvrir le passage.

Dans l'escalier

Signalons simplement quelques points :

— en montant, c'est à la femme de passer la première, si elle est accompagnée d'un homme.

— en descendant, ce sera à l'homme à descendre le premier,

Si un homme et une femme se croisent dans un escalier étroit, ce sera à l'homme à s'arrêter et à s'effacer pour laisser passer la femme.

Dans l'ascenseur

S'il y a beaucoup de monde, celui qui descendra le dernier montera le premier, ainsi il ne dérangera personne.

Si l'homme est seul avec une femme, il la laissera entrer la première et sortira le dernier.

Au restaurant

Un homme et une femme peuvent décider d'aller ensemble au restaurant, ou l'homme peut inviter une femme au restaurant.

Rappelons à ce sujet quelques règles très simples de savoir-vivre.

A l'entrée : C'est à l'homme d'entrer le premier. Il ouvre la porte pour la femme. C'est généralement lui, après accord de sa compagne, qui choisit la table avec le maître d'hôtel ou le serveur.

Le repas : Pour ce qui est de la commande, des relations avec le serveur, c'est le plus souvent à l'homme qu'il revient de s'occuper de ces tâches.

L'addition : Si c'est l'homme qui a invité la femme, ce sera à lui de payer. Mais on peut décider aussi de partager, ce qui se fait le plus souvent, ou de s'inviter à tour de rôle, si l'on mange ensemble souvent.

A la sortie : L'homme aidera sa compagne à prendre ses affaires, à mettre son manteau, si elle en avait un. Ce sera à la femme de sortir la première après que l'homme aura ouvert la porte et se sera effacé pour lui laisser le passage.

En voyage

1 / Dans les transports en commun (autobus, train, tramway).

La femme montera la première.

A l'arrivée, ce sera à l'homme de descendre le premier pour aider éventuellement la femme à descendre.

Dans tous les cas, il l'aidera à porter ses bagages, il est à peine besoin de le rappeler.

Céder sa place

Si, en train ou en autobus, toutes les places sont occupées et qu'une femme est debout,

l'homme se lèvera pour lui céder sa place (à plus forte raison si cette dame attend un enfant ou si elle est âgée).
Vous accompagnez une femme et une seule place assise est libre ; vous laissez s'asseoir votre compagne et restez debout à côté d'elle.

REMARQUE :

Tout ceci bien entendu, dans l'idéal. Mais le métro le soir à six heures, l'autobus aux heures de pointe, le train au moment des grands départs donnent une impression toute différente. Bien des femmes restent debout, quel que soit leur âge. Il n'est pas toujours facile d'appliquer les règles du savoir-vivre dans la vie moderne.

Bien entendu, s'il s'agit d'un long parcours, on ne vous en voudra pas, monsieur, d'aller vous asseoir un peu plus loin, au cas où une place serait libérée.

En train, offrez une place près de la fenêtre, c'est la plus appréciée.

2 / En voiture

Il ne s'agit pas de se comporter comme le chauffeur en livrée d'une voiture de maître. Le cérémonial doit être réduit à sa plus simple expression. Toutefois, on veillera :

— à faire entrer la femme la première dans le véhicule, si cela est possible, en ouvrant la porte côté passager, sinon, depuis l'intérieur, l'ouvrir et la tenir entrebâillée, à la montée comme à la descente ;

— à aider la femme que vous avez raccompagnée à porter ses paquets, si elle en a, jusqu'à sa porte ;

— à lui demander la permission, avant de fumer, d'allumer la radio ou d'ouvrir une vitre ;

— à ne pas hésiter à faire un détour pour lui rendre service (mais cela va de soi, est-il besoin de le rappeler ?).

Si vous prenez un taxi avec une femme, vous monterez le premier et vous installerez

à la place du fond, pour éviter à la femme d'avoir à se déplacer à l'arrière du taxi.

Si, en conduisant votre voiture, vous croisez une femme au volant de la sienne, vous vous comporterez correctement : pas d'ironie, pas d'injures. En dépit de la réputation qui leur est faite, les femmes sont beaucoup plus prudentes au volant et donc moins dangereuses que bien des conducteurs masculins. Cela, aussi, mérite le respect.

En toutes circonstances donc, l'homme viendra en aide à la femme, il lui portera bagages et paquets, mais bien sûr il est un objet qu'un homme ne portera jamais, c'est le sac à main d'une femme.

Elle et eux

On peut avoir besoin de se rencontrer, pour régler un problème ou une affaire ; il s'agit là de relations très fonctionnelles. Mais on peut aussi avoir envie d'engager la conversation avec une personne que l'on voit à la terrasse d'un café, dans un bureau ou que l'on rencontre chez des amis, parce qu'elle vous paraît très agréable ou très sympathique. Peut-on alors se suffire des règles du savoir-vivre en matière de salutation et de présentation telles qu'elles ont été présentées un peu plus haut ? Certainement pas.

Inversement, il peut arriver que l'on soit importuné par quelqu'un et généralement ce sont les dames qui sont importunées par les hommes. Que faire, que dire dans de tels cas, tout en restant dans les limites de la politesse habituelle ?

Il s'agit là de problèmes assez délicats dans la mesure où les relations hommes-femmes dépendent encore d'habitudes, de traditions avec lesquelles il est difficile de rompre, même si l'usage évolue très vite.

Remontons un peu dans le temps et comparons le comportement de jeunes et fougueux paysans bourguignons d'autrefois à celui d'un séducteur parisien d'aujourd'hui.

AUTREFOIS

A vingt ans, le jeune homme est admis dans le groupe des grands garçons : ceux-ci le soir après neuf heures, au moment de l'après-souper, sont désormais admis au droit de « courre les filles ». Chaque garçon choisit donc ou bien, en cas de rivalité, tire au sort la fille du village sur laquelle *il a jeté son dévolu* (le choix, comme toujours ou presque toujours, appartient à l'homme : ce qui n'empêche pas une jeune fille astucieuse, grâce à de subtiles avances, telles qu'une certaine façon de se faire offrir le pain bénit à l'église, de provoquer le choix). Une fois le dévolu jeté, le garçon finit, par d'habiles manœuvres cousues de ruse candide et de fil blanc, par être admis dans l'étable à vache où travaille, puis dans la maison où réside l'élue de son cœur. Quand l'amourette va bien, les baisers se donnent le dimanche (...). Pour signifier son amour, le grand garçon dérobe brutalement à la jeune fille qui l'intéresse ses bagues, son bouquet de fleurs ou le panier de groseilles qu'elle est en train de cueillir. Seuls les êtres délicats, romantiques et urbanisés donnent à l'aimée des fleurs ou des fruits au lieu de les lui ôter.

d'après Emmanuel Le Roy Ladurie,
Histoire de la France rurale,
T. 2, Le Seuil

Jeter son dévolu : fixer son choix.

AUJOURD'HUI

On me dit que tu (toi la femme) tu passes ta vie à te préoccuper de l'homme. Je suis un homme et je peux témoigner que tu n'as jamais pris l'initiative de venir à moi. C'est moi toujours qui dois prononcer les premiers mots : « Vous êtes contente de votre travail ? » « Vous venez ici souvent ? » « Vous avez l'air d'une étrangère. » J'essaie parfois de varier la mise en scène ou le texte, pas pour te faire plaisir, pour me mépriser un peu moins, pour oublier mon rôle. Mais si je m'éloigne trop des formules conventionnelles, tu fuis.

Écoute bien : toi et moi sommes autant responsables l'un que l'autre de ce qui se passe entre nous et entre tous les hommes. Quand je viens vers toi, je cherche à faire vivre la ville. Il n'y a aucune bonne raison pour que je sois seul à faire le travail. Depuis des millions d'années les mâles ont pris en charge les rapports entre les gens. Des millions d'années, c'est beaucoup, nous sommes fatigués. Chacun son tour, à toi maintenant, à vous les femmes. Renversons les rôles : *drague-moi,* fais-moi la cour, espère mes sourires, viens chanter la sérénade sous mes fenêtres. Oui, veux-tu ? Prends ma place, prends l'initiative. Tu auras plus de bonheur que moi aujourd'hui. Je ne serai pas difficile à séduire. Tu n'auras qu'un signe à faire, un petit mot et je serai à toi.

Guy Sitbon,
Yves et Véronique, Grasset

Draguer : partir au hasard des rues et des rencontres à la conquête de quelqu'un (langue familière).

De ces jeunes paysans du XVIIIe siècle au séducteur fatigué d'aujourd'hui, il y a tout le problème des rapports de l'homme et de la femme. Il n'est pas question ici de le traiter en détail, mais de rappeler simplement ce qu'il faut dire dans ce genre de circonstances, dans le respect des « formules conventionnelles ».

Les premiers mots

Il n'y a que fort peu de chose à dire dans ce domaine : il y a autant de manières de prendre contact avec quelqu'un qu'il y a de situations. On connaît certes les formules généralement employées par les hommes telles que :

— Vous venez souvent ici ?

— Vous vous plaisez ici ?

— Il y a longtemps que vous travaillez ici ?

— Qu'est-ce que vous faites dans la vie ?

— Vous êtes de la région, vous êtes étrangère ?

— Vous êtes en vacances ici ?

Rien de bien original. Retenons simplement ce principe : si, à la suite de cette prise de contact, la personne à laquelle vous vous adressez ne répond pas, **la politesse veut que l'on n'insiste pas.** C'est là une règle élémentaire.

L'invitation

Si, par contre, ce sentiment de sympathie mutuelle vous paraît partagé, il faut se revoir, une invitation s'impose. Vous pouvez, certes, inviter en ces termes :

— Viens, je t'emmène (je vous emmène).
Mais c'est assez brutal. Il faut introduire cette invitation, en demandant tout d'abord si la personne est libre :

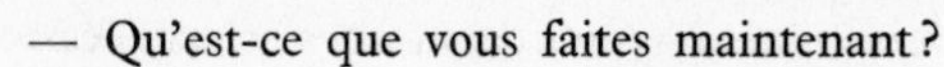

— Qu'est-ce que vous faites maintenant ?

— Vous avez un moment de libre ?

— Maintenant, vous ne faites rien de spécial ?

— Vous êtes occupé(e), | maintenant ?
tout à l'heure ?
à midi ?
ce soir ?
dimanche ?

ou bien :

— Tu es libre ce soir ?

— Qu'est-ce que tu fais | ce soir ?
maintenant ?

Et si la réponse est : « Non je n'ai rien à faire de particulier. » Vous pouvez enchaîner ainsi :

— Si vous voulez, on pourrait | aller au cinéma ?
prendre un verre ensemble ?
aller au restaurant ?

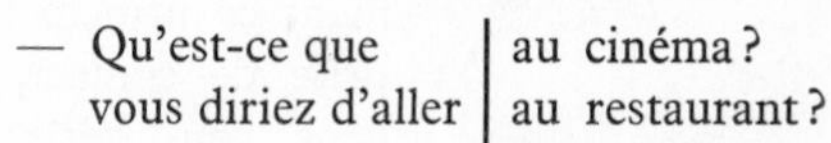

— Qu'est-ce que vous diriez d'aller | au cinéma ?
au restaurant ?
faire un tour ?
prendre un verre ?

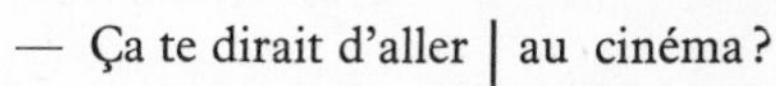

— Ça te dirait d'aller | au cinéma ?
prendre un verre ?
. . . . .

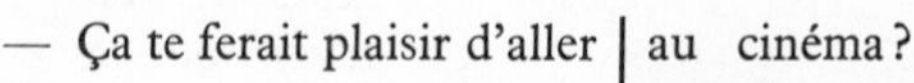

— Ça te ferait plaisir d'aller | au cinéma ?
prendre un verre ?
. . . . .

— Permettez-moi de vous inviter (déjà plus cérémonieux).

— Laissez-moi vous inviter.
ou bien encore :

— Je connais, pas très loin d'ici, un excellent restaurant.

— On joue un excellent film, en ce moment.

— J'ai deux billets pour un spectacle : cela vous ferait plaisir d'y aller (cela te dirait d'y aller) ?

Refuser

Accepter n'est pas difficile, il suffira de dire :

— Avec plaisir.
— Volontiers (bien volontiers).
— D'accord.

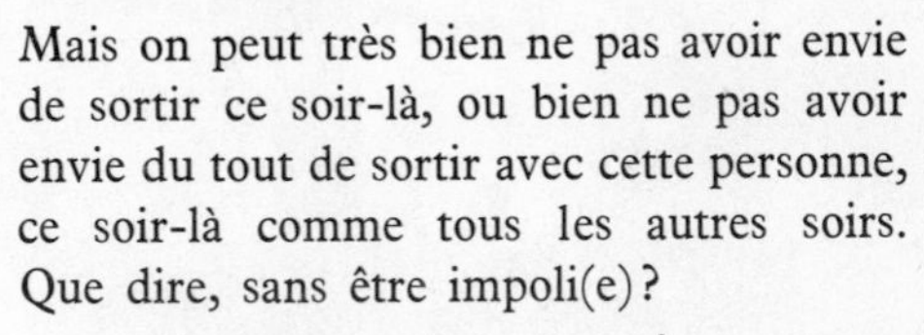

Mais on peut très bien ne pas avoir envie de sortir ce soir-là, ou bien ne pas avoir envie du tout de sortir avec cette personne, ce soir-là comme tous les autres soirs. Que dire, sans être impoli(e) ?

— Je suis désolé(e).
— Je regrette.
— Je suis confus(e). ...
— Comme c'est dommage !
— Quel dommage !

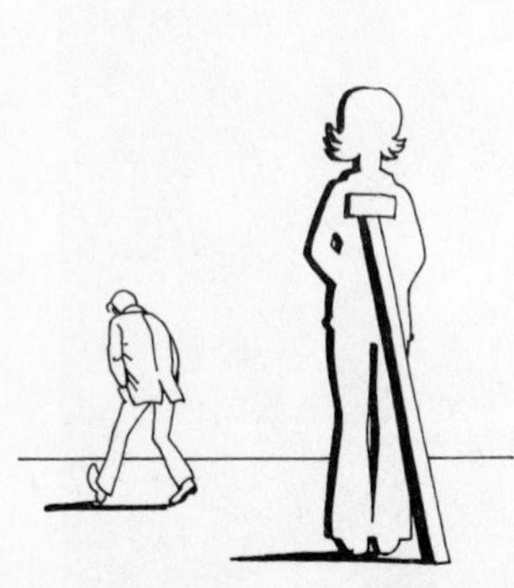

... mais c'est impossible. J'ai beaucoup de travail (je dois me lever de bonne heure demain matin)...

...je suis déjà invité chez des amis...

L'essentiel est à la fois d'exprimer un regret et de le faire suivre d'une justification quelconque. Bien entendu personne ne sera dupe mais, et c'est très important, les apparences seront sauves.

SITUATION 1

Observons cette scène. Cette jeune femme, seule à une table de café. Un jeune homme approche et essaie d'engager la conversation.

1er cas :

Vous êtes ce jeune homme. Qu'allez-vous lui dire ?

2e cas :

Vous êtes cette jeune femme. Ce jeune homme vous importune, vous dérange. Qu'allez-vous lui répondre ?

SITUATION 2

1 / Monsieur, vous êtes en voiture, vous roulez dans la campagne.

Soudain, ce spectacle.
Qu'allez-vous faire ?
Qu'allez-vous dire ?

2 / Madame, vous venez de crever un pneu de votre bicyclette.

Un automobiliste s'arrête et propose de vous aider.
— Il vous paraît sympathique. Qu'allez-vous lui dire ?
— Il ne vous plaît pas. Qu'allez-vous lui dire ?

Invitations

Lorsque deux personnes, à la suite de plusieurs rencontres, ont fini par sympathiser, il est normal que l'une d'elles décide de recevoir l'autre dans un cadre plus intime que le bureau ou le restaurant. Elle l'invite chez elle.

Selon l'importance que l'on accorde à la personne, on l'invitera soit à « prendre un verre » au moment de l'apéritif, soit, ce qui est mieux, à venir manger, à midi ou le soir.

Être invité, c'est déjà nouer avec les personnes d'autres rapports que ceux déjà établis dans le simple cadre des relations de travail. C'est pénétrer dans l'intimité de la vie familiale ; et si les gens ont de plus en plus tendance à se ressembler dans la rue, à la maison du moins, les coutumes qui font l'originalité d'un peuple ou d'une communauté ont tendance à se maintenir, en France comme ailleurs.

Être invité ou recevoir, c'est adopter des usages auxquels les Français sont très attachés. Il convient de les connaître.

1 / L'invitation
Vous êtes invité(e)

Cette invitation vous fait plaisir. Alors acceptez-la simplement, sans vous croire obligé(e) de vous faire prier.

Vous invitez

Sauf décision de dernière minute, vous invitez les gens suffisamment tôt, plusieurs jours à l'avance. Vous pourrez le faire de vive voix, par téléphone ou éventuellement par écrit, s'il s'agit d'une réception plus importante.

2 / L'heure d'arrivée
Vous êtes invité(e)

La personne qui vous a invité(e), pour dîner, par exemple, vous a fixé une heure : huit heures du soir. Si elle oublie de le faire, n'hésitez pas à le lui demander.

N'arrivez jamais avant l'heure indiquée. Les personnes qui vous ont invité(e) ne sont peut-être pas prêtes, vous les dérangeriez.

Vous invitez

Fixez une heure qui correspond aux habitudes des Français :

— midi et demi, une heure pour le déjeuner,

— dix-huit heures, dix-huit heures trente pour une réception,

— dix-neuf heures, dix-neuf heures trente, pour l'apéritif,

— dix-neuf heures trente, vingt heures pour un dîner.

Lorsque l'on vous dit : « Venez vers sept heures et demie. » Cela veut dire « *A partir de* sept heures et demie. » On acceptera très bien que vous n'arriviez qu'à huit heures moins le quart.

Au-delà vous devez avoir de sérieuses raisons pour justifier votre retard.

3 / L'arrivée, l'accueil
Vous êtes invité(e)

Si vous arrivez en retard, vous devrez vous excuser. Vous pourrez dire :

— Excusez-moi de ce retard, mais je n'ai pas pu trouver de taxi / ou bien, j'ai eu du mal à retrouver la rue...

— Je suis désolé, mais...

— Je suis confus, mais... (si vous êtes très en retard).

Vous pouvez arriver avec un bouquet de fleurs pour la maîtresse de maison. Ce sera toujours apprécié.

Vous pouvez aussi apporter une bouteille d'un bon vin ou un cadeau, un objet original par exemple.

Mais si vous êtes invité à plusieurs reprises dans la même maison, ne vous croyez pas obligé d'apporter à chaque fois un cadeau.

Vous invitez

Si vos invités sont arrivés en retard et qu'ils se sont excusés, vous répondrez :

— Ça ne fait rien...
— Ce n'est pas grave...
— Ce n'est rien...
— Ne vous excusez pas...
— Ne vous inquiétez pas..., j'étais moi-même en retard dans mes préparatifs...

Vous les aidez à se débarrasser de leurs affaires, s'ils en ont (manteaux, paquets...).

4 / Les présentations
Vous êtes invité(e)

Après être entré, vous saluerez la maîtresse de maison.

S'il y a d'autres invités, vous attendrez qu'on vous les présente, puis vous vous assiérez, sur l'invitation du maître ou de la maîtresse de maison.

Vous invitez

S'il y a déjà d'autres invités chez vous, vous n'oublierez pas de leur présenter le nouvel arrivant (voir p. 16).

Invitez immédiatement la personne qui vient d'arriver à s'asseoir. Mettez-la à l'aise en lui disant :

— Asseyez-vous donc.
— Installez-vous là.
— Vous êtes ici chez vous / Faites comme chez vous.

Si par hasard votre invité(e) vous demande de pouvoir passer un coup de téléphone, d'aller aux toilettes..., vous lui répondrez :

— Mais je vous en prie.
— Mais bien entendu...

5 / On offre à boire
Vous êtes invité(e)

Le maître de maison va certainement vous offrir à boire avant de passer à table.

Attendez que l'on vous propose ce qu'il y a à boire avant de choisir.

On attend que tout le monde soit servi avant de boire.

C'est à ce moment que peuvent être prononcées les formules habituelles :
— A la vôtre[1] (à la tienne).
— A votre santé (à ta santé).
— A la nôtre[1].
— A votre (ton) succès / retour, etc., si vous fêtez un événement.

6 / On passe à table
Vous êtes invité(e)

Vous attendez que la maîtresse de maison vous dise de passer à table. C'est elle ou le maître de maison qui se chargera de vous indiquer votre place.

Il est plus poli d'attendre que tout le monde soit placé autour de la table pour s'asseoir.

Vous attendrez que tout le monde soit servi avant de vous mettre à manger.

1. Ces deux formules, plus familières, s'emploient surtout entre jeunes ou en famille.

C'est le maître de maison qui doit s'occuper de servir les boissons.

7 / La fin du repas
Vous êtes invité(e)

Vous attendez que la maîtresse de maison donne le signal de la fin du repas en invitant les gens à passer au salon, c'est-à-dire souvent, étant donné la petitesse des appartements français modernes, à s'asseoir dans les fauteuils disposés à côté de la table.

Bien entendu, on réservera aux dames les sièges les plus confortables.

8 / Fumer
Vous êtes invité(e)

C'est à votre hôte qu'il revient de vous offrir le premier des cigarettes.

Si vous fumez, demandez autour de vous si cela ne dérange personne.

Vous ne fumerez pas pendant le repas, c'est plus poli.

Dans tous les cas, lorsque vous sortez un paquet de cigarettes pour fumer, n'oubliez pas, avant de vous servir, d'en proposer aux personnes qui vous entourent.

9 / Les invités partent
Vous êtes invité(e)

Ne partez pas immédiatement après la fin du repas, la dernière bouchée avalée. Mais ne restez pas non plus des heures durant chez vos hôtes.

En partant, saluez tout le monde, les dames d'abord, puis la maîtresse de maison.

Ce sera le moment de la remercier et de *la complimenter* pour son repas. Les Français sont très fiers de leur cuisine et de leurs

vins (de manière parfois excessive, il faut bien le reconnaître). Un petit mot à ce sujet leur fera toujours plaisir.

Vous pourrez dire, en partant :

— C'était excellent!

— Merci pour ce repas qui était | délicieux, excellent, très bon!

— Votre cuisine était | excellente, délicieuse, ...

Il se peut que vous ayez à partir un peu plus tôt que prévu, plus tôt en tout cas que ne le voudraient vos hôtes. Vous direz alors :

— Je suis désolé, mais il faut absolument que je parte.

— Je regrette, mais je ne peux rester plus longtemps.

— Je resterais volontiers (avec plaisir), mais il faut que je parte.

— Cette soirée (ce repas) était très agréable, mais il va falloir que je prenne congé.

Vous invitez

Dans ce cas-là, il faut manifester son regret de voir partir l'invité :

— Vraiment, vous voulez partir si tôt?

— Vous ne voulez pas rester encore un moment avec nous?

— Comme c'est dommage, vous partez déjà?

Sans trop insister, bien entendu, car votre invité pourrait se croire tenu absolument de rester.

Dans les deux cas, on montre ainsi que l'on a eu plaisir à se rencontrer et à passer un moment ensemble. Le regret de devoir partir et le désir de retenir l'invité le montrent parfaitement. Telle est la véritable signification de ces paroles.

Toutes ces indications s'appliquent au repas traditionnel, soigneusement préparé et où l'on a soin de respecter les usages. Entre jeunes, les choses peuvent être plus simples. Cet extrait de roman donne une idée de ce que peut être un repas « décontracté » entre jeunes :

Ou bien chez l'un ou chez l'autre, ils organisaient des dîners presque monstrueux, de véritables fêtes. Ils n'avaient, la plupart du temps, que des cuisines *exiguës,* parfois impraticables, et des vaisselles dépareillées dans lesquelles se perdaient quelques pièces un peu nobles. Sur la table, des verres taillés d'une finesse extrême voisinaient avec des verres à moutarde, des couteaux de cuisine avec des petites cuillers d'argent armoriées.

Ils revenaient de la rue Mouffetard, tous ensemble, les bras chargés de victuailles, avec des cageots entiers de melons et de pêches, des paniers remplis de fromages, des gigots, des volailles, des *bourriches* d'huîtres en saison, des terrines, des œufs de poisson, des bouteilles enfin, par casiers entiers, de vin, de porto, d'eau minérale, de coca-cola.

Ils étaient neuf ou dix. Ils emplissaient l'appartement étroit qu'éclairait une seule fenêtre donnant sur la cour; un canapé recouvert de velours râpeux occupait au fond l'intérieur d'une alcôve; trois personnes y prenaient place, devant la table servie, les autres s'installaient sur des chaises dépareillées, sur des tabourets. Ils mangeaient et buvaient pendant des heures entières.

Georges Perec, *Les choses*, Julliard

Exïguës : très petites.
Bourriche : panier qui sert à transporter du gibier, du poisson.

Ainsi, c'est infiniment plus simple. Mais il y a toujours cette idée, et cela vaut pour les repas ou les surprise-parties, qu'**il est toujours bon d'apporter quelque chose avec soi quand on est invité.**

Invitation à un cocktail ou à une réception

On indique normalement sur la carte d'invitation l'heure à laquelle se tiendra cette réception, de 18 h à 20 h par exemple.

Vous pourrez venir à l'heure qui vous convient (n'arrivez cependant pas cinq minutes avant la fin!).

Saluez d'abord vos hôtes, avec lesquels vous vous entretiendrez quelques instants, puis allez saluer les autres personnes.

Vous ne pouvez pas vous rendre à une invitation

Il est absolument nécessaire de prévenir le plus tôt possible la personne qui vous a invité(e), c'est la moindre des politesses. Vous donnerez aussi la raison qui vous empêche de vous rendre à cette invitation.

Vous quittez une réception

Saluez discrètement le maître et la maîtresse de maison, c'est tout. Sinon les autres invités se croiraient dans l'obligation de partir immédiatement, alors que la soirée peut fort bien se prolonger.

Vous vous rendez chez quelqu'un sans prévenir

Dans certains pays, il est absolument déconseillé de se rendre chez quelqu'un sans l'avoir prévenu assez longtemps à l'avance.

En France, c'est au contraire tout à fait possible. Un conseil simplement, ne passez pas le matin, ni aux heures des repas. Et si vous pouvez, téléphonez quelque temps auparavant, cela permettra à la personne chez qui vous vous rendez de mieux vous accueillir.

Ces quelques usages sont relativement simples à respecter, mais forment ce que l'on pourrait appeler le fonds de l'hospitalité. Comme le dit P.J. Hélias : « Boire et surtout manger dans une maison, c'est le vrai baromètre de la parenté ou de l'amitié. » Relisons par exemple comment se faisait une visite à la campagne, en Bretagne, au début de ce siècle (p. 57).

Les temps ont aujourd'hui changé, les choses vont plus vite, certains usages ont disparu, mais il reste toujours comme chez ces paysans le souci **d'accueillir convenablement le visiteur** et chez ce visiteur **le désir de ne pas trop déranger les personnes chez lesquelles il se rend. C'est cela, le savoir-vivre.**

Vous n'êtes pas invité, on ne vous attend pas. Vous commencez par vous arrêter à la barrière de la cour pour donner au chien le temps d'aboyer et d'annoncer votre venue. L'alerte est donnée. Vous ouvrez la barrière, vous entrez dans la cour, vous avancez lentement au large des fenêtres afin que l'on puisse vous reconnaître au travers des carreaux. Lentement, pour donner le temps à la maîtresse de mettre de l'ordre dans son logis. Si elle n'est pas là, ou s'il lui faut dix minutes de préparation, le maître sort, vous emmène voir son hangar, ses étables, ses animaux, son verger, en attendant qu'elle s'annonce...

Donc vous êtes devant la porte ouverte. Vous toussez deux ou trois fois pour mieux vous annoncer et vous demandez à voix claire s'il y a quelqu'un. Une voix de femme vous dit d'entrer. Il n'y a que la voix qui compte pour le moment. Vous faites quelques pas dans le couloir en terre battue, vous vous arrêtez de nouveau devant la porte de la salle-cuisine, toujours ouverte, elle aussi. Accoudée au vaisselier, la maîtresse vous sourit. Tiens, c'est Corentin! Le maître, impassible, est assis à sa place, au haut bout de la table. Entrez donc tout à fait, dit-elle. Vous le faites lentement. Me voilà arrivé, dites-vous. Et de parler du temps qu'il fait, de l'état des terres. Le maître vous invite à « poser votre poids sur le banc » qui est assez solide pour vous soutenir. Vous refusez vigoureusement, deux fois, pour obéir à la troisième injonction. Refuser plus longtemps serait faire affront, d'autant plus que la maîtresse a passé un torchon propre sur le banc. La conversation se poursuit sur les dernières nouvelles du bourg : enterrements d'abord, mariages ensuite, baptêmes pour finir.

Cependant, la maîtresse a sorti les verres, les essuie *ostensiblement* avec un chiffon qui garde encore le pli du fer. Vous faites semblant de ne rien voir jusqu'au moment où, par miracle, les bouteilles apparaissent toutes seules sur la table. Alors, vous clamez votre indignation, vous soulevez à demi vos fesses du banc comme pour partir, déclarant que vous ne voulez déranger personne et que d'ailleurs, vous ne buvez jamais sans soif. On vous assure que votre sobriété est connue, mais qu'on ne parle pas bien quand l'intérieur est sec. Et l'on entend *crisser* les bouchons. Après quelques hauts cris, vous acceptez de *trinquer*. On reprend alors à fond toutes les conversations précédentes qui sont ponctuées de vos protestations à mesure que la table se charge de victuailles et que l'odeur du café embaume tout l'environnement. Une bonne demi-heure se passe avant que vous n'osiez timidement dire pourquoi vous êtes venu.

Pierre Jakez Helias,
Le cheval d'orgueil, Mémoires d'un Breton du Pays Bigouden, Plon.

Ostensiblement : de manière à être vu.
Crisser : faire entendre un bruit aigu (ici, c'est le bruit fait par le bouchon qu'on enlève).
Trinquer : lever son verre et le cogner légèrement contre le verre de son voisin, puis boire à la santé de tout le monde.

1

2

SITUATION 1

Observez cette scène. Une famille est à table, en train de manger. On sonne. Quelqu'un va ouvrir la porte. Ce sont des amis qui arrivent sans avoir prévenu.

1er cas :

Vous êtes la personne qui les accueille à la porte. Que leur dites-vous ? (Vous sentez qu'ils sont gênés, vous insistez pour qu'ils restent.)

2e cas :

Vous êtes l'un des deux amis qui arrivent. Que dites-vous ? (Vous êtes gêné d'arriver ainsi).
Imaginez l'ensemble du dialogue.

SITUATION 2

Manifestement, cette personne a l'air d'apprécier ce qu'elle mange. Elle est votre invitée.
Que va-t-elle vous dire ? Qu'allez-vous lui répondre ?

Pourboires

Donner un « pourboire », c'est donner à quelqu'un une somme d'argent (variable selon les cas) destinée à marquer la satisfaction que l'on éprouve à la suite d'un service rendu. C'est une somme qui se donne en plus du prix que l'on a payé pour le service lui-même.

Il faut le signaler dès maintenant, l'habitude du pourboire est très répandue en France, même si, dans certains cas, on tend à en limiter l'usage et à en fixer le montant.

Passons tout d'abord en revue les cas dans lesquels il est habituel de verser un pourboire :

— au porteur de bagages à l'aéroport ou à la gare, si vous avez besoin de ses services ;
— au chauffeur de taxi, en plus du prix de la course ;
— à la personne qui vous aide à monter vos bagages dans la chambre d'hôtel ;
— au garçon de café qui vous a servi une boisson ;
— au serveur de restaurant ;
— à la dame qui, au restaurant, s'occupe des toilettes (mais oui !) ;
— à la même dame qui s'occupe, dans un café ou dans un restaurant, du téléphone ;
— à l'ouvreuse de cinéma ou de théâtre (c'est-à-dire à la personne qui vous conduit à votre place) ;

— à la dame qui s'occupe du vestiaire au théâtre ou au restaurant ;
— au guide, dans certains musées, dans certains monuments, à l'occasion d'une visite commentée ;
— au coiffeur ou à la coiffeuse qui s'est occupé de votre coupe de cheveux ;
— dans une station-service, quand vous prenez de l'essence pour votre voiture, à celui qui s'est occupé de vérifier la pression de vos pneus, qui a nettoyé votre pare-brise... ;
— au facteur qui vient vous apporter une lettre recommandée ou un paquet ;
— au télégraphiste qui vous apporte un télégramme.

Cela fait beaucoup de monde, et on comprendra pourquoi il n'est pas toujours inutile d'avoir de la monnaie dans sa poche.

Toutefois, **l'usage du pourboire,** étant donné les abus qui ont été souvent constatés, **tend,** dans certains cas, **à être réglementé, au café et au restaurant notamment.**

Il est en effet de plus en plus fréquent d'inclure le pourboire dans le prix de la consommation. C'est marqué au bas du ticket par la formule **service compris** ou **service 15 % compris.** De la même manière, au bas de l'addition, au restaurant, vous trouverez inscrit au-dessus du total **service : ... F,** c'est-à-dire que le prix du service est inclus dans le montant total de l'addition. Dans ces deux cas, vous n'avez pas à verser de pourboire supplémentaire, même si le serveur ou le garçon a l'air d'insister.

Par contre, vous pouvez trouver au bas du ticket une formule telle que **service 12 % en sus** ou **service 12 % non compris,** ce qui signifie alors que vous devez verser la somme correspondante.

Dans les théâtres ou dans les cinémas...

... où se pratique le pourboire à l'ouvreuse, celui-ci doit correspondre, en gros, à 10 % du prix du billet. Si vous versez moins, vous risquez de vous attirer des remarques.

Pour les problèmes de pourboire, il faut, en général, savoir faire preuve de bon sens et de psychologie; verser un pourboire peut parfois être nécessaire, mais aussi il ne faut pas se laisser intimider et abuser par des personnes peu scrupuleuses.

Par contre, il ne faut pas se laisser impressionner par les personnes qui, sur les boulevards à Paris, et notamment dans le Quartier latin, ne cessent d'interpeller le passant en lui disant : « T'as pas cent balles? » Il s'agit là d'une forme moderne et évoluée de la mendicité à laquelle il faut opposer un refus catégorique.

Un dernier point, concernant cette question :

Les étrennes

Il s'agit ici de la somme d'argent que l'on verse tous les ans, généralement au moment du Nouvel An, aux personnes qui vous rendent des services tout au long de l'année quand vous habitez quelque part pour une assez longue durée. Ces étrennes vous devrez les offrir :

— à la concierge de votre immeuble, s'il existe encore une concierge, car elle peut garder votre courrier, vous transmettre un message... ;

— à la femme de ménage ou à l'employée de maison de la famille qui vous reçoit, éventuellement ;

— au facteur, qui en échange, vous offrira un calendrier des P.T.T. ;

— aux éboueurs, c'est-à-dire à ceux qui, tous les matins, viennent enlever les ordures.

Le montant sera bien entendu fonction de vos ressources et de la qualité du service rendu.

On pourra juger cette habitude du pourboire peu agréable, source de gêne, de malentendus. N'oublions pas que dans certains cas, et c'est fort regrettable, le pourboire représente pour la personne qui le reçoit une partie importante de son revenu, son salaire étant souvent très faible, voire inexistant. Cela peut parfois expliquer certaines réactions, certaines attitudes. Cela ne les justifie pas, bien entendu.

SITUATIONS

1 / Vous êtes au restaurant. Vous constatez une erreur dans l'addition. Vous appelez le garçon. Que lui dites-vous ? (cf. *Savoir dire*, p. 76).

2 / A la terrasse d'un café, le serveur vous réclame un pourboire alors que le service est compris. Qu'allez-vous lui répondre ?

3 / Vous rentrez au cinéma. Vous vous apercevez que vous n'avez plus de monnaie pour l'ouvreuse. Qu'allez-vous lui dire ?

Fêtes, cérémonies, deuils

L'histoire d'un peuple se définit par les fêtes qui rythment sa vie, par l'importance qu'il leur accorde.

Certains peuples aiment encore beaucoup les fêtes qui sont ainsi l'occasion pour les amis et les familles de se retrouver. C'est aussi, pour les membres d'une communauté, le moyen de se sentir plus proches les uns des autres, plus forts contre les mille et un obstacles qu'un peuple ou une nation peut avoir à affronter.

Les Français, aujourd'hui, se distinguent en cela des autres peuples. Ils accordent de moins en moins d'importance aux fêtes, religieuses ou nationales, et sont souvent étonnés quand un ami étranger les félicite à l'occasion de l'une d'entre elles.

Cela est peut-être dû au fait que les Français ont un sens moins grand de la vie collective que les autres peuples. Les Français sont connus pour être individualistes. C'est peut-être dommage car ainsi beaucoup de coutumes ont fini par disparaître. Mais d'autres sont en train de s'installer et le départ collectif pour les vacances, le 31 juillet ou le 1er août de chaque année, n'est-il pas une immense fête à laquelle participent des millions d'individus à chaque fois ?

Nous signalerons ici simplement les fêtes et les cérémonies qui peuvent donner lieu à une réunion au cours de laquelle seront offerts des cadeaux ou présentées des félicitations.

Nous distinguerons :
— les fêtes familiales,
— les fêtes religieuses,
— les fêtes nationales.

Fêtes familiales

Ce sont celles qui jalonnent la vie d'un individu, d'un couple, d'une famille. A leur occasion on invitera parents et amis.

Beaucoup de ces fêtes sont en relation avec la vie religieuse. La France est un pays à majorité catholique et même si la plupart des gens ne vont plus à l'église, il reste que les Français, à certains moments de la vie, tiennent à marquer ce lien qui les rattache à la vie religieuse et à l'Église catholique.

1 / Le baptême

Il se fait normalement quand l'enfant est très jeune, un mois ou deux souvent après la naissance. Il marque l'entrée de l'enfant au sein de l'Église.

On pourra vous demander d'être le parrain ou la marraine, c'est-à-dire, selon la tradition, de pouvoir venir en aide à l'enfant si un malheur arrivait au père ou à la mère. Ce sera l'occasion d'offrir à l'enfant un cadeau.

2 / La communion

Elle est appelée désormais **profession de foi,** mais le terme **communion** est celui qui reste le plus fréquemment employé. Elle se fait, dans l'Église catholique, vers 11 ou 12 ans et confirme, en quelque sorte, l'enfant dans sa qualité de membre de l'Église. Jusqu'à une époque relativement récente, la communion était l'occasion de grandes fêtes familiales avec un très grand repas où étaient invités parents et amis.

L'Église catholique préfère aujourd'hui des fêtes plus discrètes, des repas plus simples, ce que regrettent bien des Français. Mais la communion restera cependant l'occasion d'offrir un cadeau au jeune garçon ou à la jeune fille.

3 / Les fiançailles

Il s'agit d'une cérémonie familiale très simple par laquelle deux jeunes gens font promesse de mariage. C'est l'occasion, pour le fiancé, d'offrir à sa fiancée une bague dite bague de fiançailles.

Si vous êtes invité à des fiançailles, vous pouvez offrir un cadeau aux fiancés, sinon vous attendrez le mariage.

4/ Le mariage

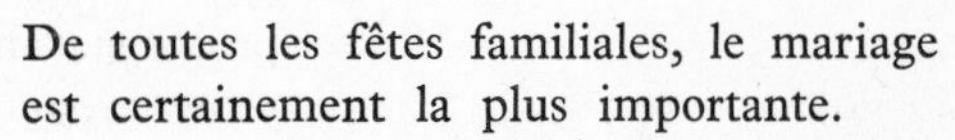

De toutes les fêtes familiales, le mariage est certainement la plus importante.

La cérémonie du mariage se déroule généralement en deux temps :

— tout d'abord ce que l'on appelle la cérémonie civile, c'est-à-dire le mariage à la mairie, par lequel il faut obligatoirement commencer ;

— puis la cérémonie religieuse, c'est-à-dire, habituellement, le mariage à l'église (pour les Français de confession protestante, cela se fera au temple et pour les Français de confession israélite à la synagogue).

Notons déjà que :

— certains couples ne se marient qu'à la mairie et ne prévoient aucune cérémonie religieuse. Le phénomène est de plus en plus fréquent ;

— généralement, la cérémonie religieuse et la cérémonie civile se déroulent le même jour. Il peut arriver, aussi, que la cérémonie civile se tienne un jour donné, et la cérémonie religieuse le lendemain, ou même deux ou trois jours plus tard ; mais cet usage est assez peu répandu. La cérémonie du mariage a généralement lieu soit en fin de matinée entre 10 h et midi, soit l'après-midi vers 16 h ou 17 h.

Selon les milieux, selon les familles, la journée peut s'organiser ainsi :

— la cérémonie a lieu en fin de matinée ; elle est suivie d'un grand repas (pour les Français c'est très important), à midi, qui se prolonge fort tard dans l'après-midi, on y invite parents et amis. Très souvent, après le repas, on danse ;

— la cérémonie a lieu en fin de matinée. A midi, il y a un repas qui ne réunit que les mariés et les très proches parents ou les amis intimes. Puis, en fin d'après-midi est organisé un buffet auquel sont alors invités les autres amis et parents. Dans ce cas-là, on peut danser aussi ;

— enfin, il peut aussi y avoir un grand repas le soir, la cérémonie religieuse ayant eu lieu l'après-midi, selon le déroulement indiqué plus haut.

Les invitations

Selon votre degré d'intimité avec les mariés, vous pouvez être invité seulement à la cérémonie religieuse, soit être invité à la cérémonie religieuse (ou civile s'il n'y a qu'un mariage à la mairie) et au repas ou au buffet.

Les félicitations

Il est habituel, à la fin de la cérémonie elle-même, de féliciter les mariés. Quand il y a mariage à l'église, après la messe, les mariés se rendent à la *sacristie* (petite pièce au fond de l'église où le prêtre range ses habits et les instruments de la messe) et toutes les personnes ayant assisté au mariage vont féliciter les mariés. On embrasse généralement la mariée, on serre la main du marié, mais si c'est un ami, un parent, on peut l'embrasser en prononçant des formules telles que : « Je vous présente tous mes vœux de bonheur » ou bien « Je vous adresse toutes mes félicitations », par exemple.

Les cadeaux

Normalement, on offre un cadeau aux mariés. Généralement, il s'agit de cadeaux qui permettront aux mariés de monter leur ménage et d'équiper leur maison. Si c'est possible, il est préférable d'adresser le cadeau à l'avance plutôt que de le donner le jour même.

Souvent les futurs mariés déposent dans des magasins spécialisés une *liste de mariage*, c'est-à-dire la liste de cadeaux variés (à des prix différents) qu'on peut leur offrir.

Mais nous devons noter qu'il s'agit là du mariage traditionnel, rassemblant beaucoup d'invités, assez cérémonieux. En fait, de plus en plus, surtout en ville :

— la cérémonie du mariage tend à se simplifier. On invite beaucoup moins de monde qu'autrefois, notamment chez les jeunes où très souvent ne sont invités que quelques amis et où la réception se borne à une sorte de surprise-partie dans la soirée, le tout se faisant dans la plus grande simplicité.

L'anniversaire de mariage

Généralement, il s'agit d'une fête entre époux. Toutefois, lorsque le mariage s'étend sur une assez longue période, on peut organiser une fête à laquelle on invitera parents et amis notamment :

— pour le 25e anniversaire de mariage, ce que l'on appelle *les noces d'argent*,

— pour le 50e anniversaire de mariage, ce que l'on appelle *les noces d'or*,

— pour le 60e anniversaire de mariage, ce que l'on appelle *les noces de diamant.*

5 / L'anniversaire

On doit fêter l'anniversaire de la naissance de quelqu'un le jour même, mais jamais la veille. On lui souhaitera : « Bon anniversaire » ou « Joyeux / heureux anniversaire ». On pourra offrir un cadeau ou des fleurs à cette occasion. Si on est éloigné de la personne dont on veut fêter l'anniversaire, on lui enverra une carte de félicitations.

6 / La fête

Célébrer la fête de quelqu'un, c'est le féliciter et lui offrir un cadeau le jour du calendrier marqué par un saint. S'il s'appelle Jean, on le fêtera le jour de la Saint-Jean, c'est-à-dire le 24 juin. Cette fête pourra être célébrée la veille, sous forme de félicitations et de cadeau, mais elle a une importance bien moindre que celle de l'anniversaire. Beaucoup de personnes aujourd'hui n'y songent plus. C'est certainement dommage.

Fêtes religieuses

Beaucoup ont disparu ou n'ont plus gardé la même importance qu'autrefois. D'autre part, une grande partie des gens a perdu de vue leur signification religieuse pour ne retenir que la fête elle-même. Commençons par la plus importante de toutes pour les Français.

1 / Noël

Fête de la nativité du Christ, elle devient de plus en plus la fête du Père Noël qui cette nuit-là (nuit du 24 au 25 décembre) est supposé apporter des cadeaux aux enfants. Les gens se voient ou s'écrivent pour se souhaiter un : « Joyeux Noël ». Ce sera l'occasion d'un grand repas le soir même du 24, le repas de réveillon. Ce sera aussi le moment où l'on offre des cadeaux à tous les gens que l'on aime.

2 / Jour de l'An

C'est une fête laïque.
Il indique le changement d'année civile et correspond à la fois à la Saint-Sylvestre qui marque le dernier jour de l'année et se retrouve dans l'ancien cycle des douze jours qui va de Noël à l'Épiphanie.
Ce sera l'occasion de souhaiter à tous ses amis et parents :
TOUS MES VŒUX!
MES MEILLEURS VŒUX,
POUR VOUS ET LES VOTRES!
ou, plus familièrement :
BONNE ANNÉE!
BONNE SANTÉ!

Tous les souhaits sont les bienvenus.

Pour la nuit du Jour de l'An, celle du 31 décembre au 1er janvier, il est habituel de « réveillonner », c'est-à-dire de sortir avec des amis ou même de les inviter à la maison, pour manger ensemble, pour danser. Le réveillon du Nouvel An diffère en cela de celui de Noël qui reste une fête familiale.

3 / L'Épiphanie

Cette fête marque la fin du cycle des douze jours et se tient normalement le 6 janvier, on l'appelle aussi la Fête des Rois. C'est l'occasion entre parents et amis de se réunir pour manger un gâteau, une galette des Rois, dans laquelle est glissée une fève. Celui qui trouve la fève dans son morceau est proclamé roi et doit offrir le prochain gâteau. Si vous êtes invité à ce moment de l'année, vous pourrez apporter une galette des Rois.

Mais il faut noter que cette fête des Rois n'a pas en France l'importance qu'elle peut avoir dans d'autres pays. Elle se fête maintenant le premier dimanche de janvier.

4 / Pâques

La coutume veut que le Vendredi Saint, les cloches des églises soient parties pour Rome et qu'elles ne reviennent que le dimanche de Pâques : elles déposent le dimanche matin, dans les jardins, des œufs pour les enfants (cette coutume est assez récente). Il en reste l'habitude d'offrir aux enfants et à ses amis des chocolats, généralement sous forme d'œufs.

5 / La Toussaint Nous citerons cette fête pour la raison suivante. Le 1er novembre, fête de tous les saints, et le 2 novembre, jour des morts, sont pour beaucoup de Français le moment de rappeler le souvenir des parents morts. C'est l'occasion d'aller au cimetière déposer des fleurs sur la tombe des disparus. Ces fleurs sont généralement des chrysanthèmes. Voilà pourquoi, et c'est très certainement regrettable, car les chrysanthèmes sont de fort jolies fleurs, il vaut mieux ne pas offrir à une dame un bouquet de chrysanthèmes qui sont, pour les Français, trop liés à l'idée de mort.

Fêtes nationales Les Français y voient surtout l'occasion d'un jour de repos supplémentaire et ne les célèbrent pas avec toute la ferveur requise.

1 / Le 11 Novembre On fête ainsi l'armistice qui mit fin à la Première Guerre mondiale (1914-1918).

2 / Le 1er Mai Fête sociale assez récemment établie. Elle est l'occasion pour les travailleurs de défiler dans les rues avec les syndicats. C'est aussi le jour où l'on offre du muguet. Ce jour-là est ainsi la fête du Travail et la fête du Printemps.

3 / Le 14 Juillet C'est sous la Troisième République (loi du 6 juillet 1880) que l'on a décidé de fêter la prise de la Bastille, le 14 juillet 1789, et d'en faire ainsi le jour de la Fête Nationale française.

Il n'est pas nécessaire, à cette occasion, de féliciter les Français pour cette fête. Ce n'est pas dans leurs habitudes.

Nous avons rassemblé dans le tableau suivant les dates principales du calendrier traditionnel qui donnent lieu à différentes fêtes. Nous indiquons d'une croix **celles qui donnent lieu à souhaits, cadeaux et invitations.** Les autres sont simplement **l'occasion d'un jour férié** (Ascension, Pentecôte, 15 Août) ou bien de **petites cérémonies familiales** (Rameaux, Vendredi Saint, Chandeleur). Certaines restent encore dans le souvenir des **Français,** mais **ne donnent plus lieu à des réjouissances collectives** (Saint-Valentin, Saint-Jean).

Date	Fête	Fête religieuse	Fête nationale	Cadeaux	souhaits	Invitations
25 décembre	Noël	×		×	×	× (en famille)
1er janvier	Nouvel an			×	×	× (avec des amis)
6 janvier	Épiphanie	×				×
2 février	Chandeleur	×				×
14 février	Saint-Valentin (fête des amoureux)					
Dates variables	Rameaux	×				
	Pâques	×		× (éventuellement œufs en chocolat)		× (en famille)
1er mai	Fête du Travail		×	× (muguet)		
Dates variables	Ascension	×				
	Pentecôte	×				
24 juin	Saint-Jean	×				
14 juillet	Fête Nationale		×			
15 août	Fête de la Vierge	×				
1er novembre	Toussaint	×				
2 novembre	Fête des Morts	×				
11 novembre	Armistice de 1918		×			

Rappelons aussi, à cette occasion, les formules qui peuvent être utilisées à ces différents moments :

Ce que l'on dit

Pour une naissance	Permettez-moi de vous féliciter pour la naissance de votre petit ..... Toutes mes félicitations pour ..... avec tous mes vœux de bonne santé pour la maman.
Pour un mariage	Toutes mes félicitations pour votre mariage. Permettez-moi de vous féliciter pour votre mariage, suivi de : avec tous mes vœux de bonheur.
Pour un anniversaire	Joyeux anniversaire. Heureux anniversaire. Toutes mes félicitations pour votre anniversaire.
Pour une fête	Bonne fête. Joyeuse fête.
Pour Noël	Joyeux Noël.
Pour le Nouvel An	Bonne Année. Bonne et heureuse année. Tous mes vœux pour la nouvelle année. Avec mes meilleurs vœux pour la nouvelle année.

Quand on boit

Vous pourrez dire :

A votre santé.

A votre réussite (si vous souhaitez le succès de quelqu'un).

A la nôtre (formule plus familière)
A la vôtre
A la tienne.

Quand on mange

Bon appétit.

Ces formules sont des formules toutes faites, c'est-à-dire qu'il vous reste à les adapter aux circonstances, à la personne à laquelle elles sont destinées. Cela ne s'apprend pas, c'est une affaire d'expérience et de goût.

Deuils

Il se peut aussi que vous appreniez la mort d'une personne que vous connaissez ou du parent d'un ami. Il faut donc alors que vous présentiez à la famille ou à votre ami vos condoléances.

Vous pourrez dire :

— s'il s'agit d'une personne avec laquelle vous n'entretenez que des rapports de type professionnel ou que vous ne fréquentez guère :

– Je vous adresse toutes mes condoléances.

– Je vous présente toutes mes condoléances,
– Je vous présente mes plus sincères condoléances.

– Croyez à l'expression de toute ma sympathie.

— s'il s'agit d'un ami, de gens que vous connaissez bien, vous pourrez employer des formules plus simples, plus directes :

- La mort de ..... | m'a fait beaucoup de peine,
m'a causé beaucoup de chagrin.

- Ça m'a fait beaucoup de peine de savoir que ..... est mort.
- J'ai beaucoup de peine pour toi.
- J'ai été très touché par la mort de .....

Les formules ne manquent pas. La qualité essentielle en ce domaine est la discrétion. La sincérité de l'émotion peut s'exprimer très simplement.

Si vous avez reçu de la famille un avis de décès, vous pouvez :

— vous rendre à la cérémonie d'enterrement, si cela est possible bien entendu,

— sinon, adresser un mot à la famille (voir *Savoir écrire* p. 99),

— si cela vous est possible, faire parvenir des fleurs à déposer sur la tombe.

Savoir... dire

Les raisons qu'ont les gens de s'adresser la parole sont multiples. Trois cependant se retrouvent très souvent :

— on propose, on fait une offre à quelqu'un,
— on demande, on a besoin de...
— on accepte, on refuse,

c'est-à-dire trois situations dans lesquelles on s'adresse directement à une personne donnée. Il ne s'agit plus d'une discussion générale, mais d'un échange où les deux interlocuteurs sont directement concernés.

C'est pourquoi, de même qu'il faut savoir se présenter, il faudra savoir aussi présenter son propos. **On évitera les formules trop directes comme : « Je veux... », « Faites... », « Non », parce que considérées comme impolies. Il faudra introduire dans la conversation des expressions, des formules destinées à en atténuer la vigueur. Le savoir-vivre est aussi un savoir-dire.**

La manière de s'exprimer va dépendre de plusieurs données :

— le cadre général de l'échange : les termes ne seront pas identiques selon qu'ils sont prononcés dans un bureau, dans un café, dans un magasin, chez soi, chez des amis, en voyage...,

— les personnes : le propos ne sera pas le même pour toutes les personnes. Il dépendra de la nature des relations établies entre elles et vous (on retrouve les mêmes questions que celles évoquées p. 5),

— l'objet de la demande, de l'offre : suivant que l'on demande une cigarette ou un emploi, les formules utilisées ne seront pas non plus les mêmes.

La flèche → suivant son inclinaison ↘, ↗, →,
marque l'échelle des rapports entre les personnes.

DONNER UN ORDRE, FAIRE UNE OFFRE

SItuation : Une personne demande à une autre de venir la chercher à trois heures avec sa voiture.

		Remarques
↘	A trois heures, avec votre voiture.	A la limite de l'impolitesse.
↘	*Venez me prendre* à trois heures avec votre voiture.	
↘	Venez me prendre à trois heures avec votre voiture, *s'il vous plaît / je vous prie.*	*Je vous prie de* en tête de phrase indique parfois un ordre.
↘	*Vous voudrez bien* venir me prendre à trois heures avec votre voiture.	*Vouloir* au futur a ici valeur d'un ordre.
→	*Voulez-vous bien* venir me prendre à trois heures avec votre voiture? (Pouvez-vous?)	Passage à la forme interrogative.
↗	*Pourriez-vous* venir me prendre à trois heures avec votre voiture? (Voudriez-vous?)	Le conditionnel marque un certain retrait par rapport à la demande.

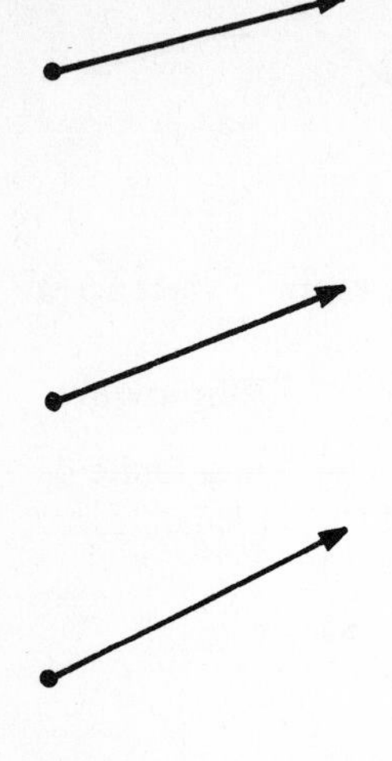

Est-ce que cela vous dérangerait de bien vouloir venir me prendre à trois heures avec votre voiture ?

Auriez-vous
la gentillesse
l'amabilité
l'obligeance de bien vouloir venir me prendre avec votre voiture à trois heures ?

Seriez-vous assez aimable pour bien vouloir venir me prendre à trois heures avec votre voiture ?

On constate aisément que **plus la distance est grande entre les personnes, plus les formes utilisées sont nombreuses et complexes.**

Mais toutes ces formes ne sont pas utilisables dans tous les cas. **Il y a des situations où les possibilités d'expression sont plus restreintes.**

Situation : Vous entrez dans un bureau de tabac pour acheter un paquet de cigarettes. Vous voulez, par exemple, un paquet de Gitanes. Vous pourrez dire :

— Un paquet de Gitanes ! (mais ce n'est guère poli).

— Un paquet de Gitanes, s'il vous plaît.

— Donnez-moi un paquet de Gitanes, s'il vous plaît / je vous prie.

— Je | voudrais
| désirerais un paquet de Gitanes.

— Avez-vous | des Gitanes, s'il vous
— Auriez-vous | plaît ?

Ce n'est qu'avec l'usage que l'on verra quelle est la formule qui convient et celle qui ne convient pas. Il ne faut pas systématiquement utiliser les formules les plus compliquées, on pourrait interpréter cela comme de l'ironie de votre part. L'usage de ces formules ne dépend pas uniquement de la distance sociale ou professionnelle qui sépare les personnes, mais du plus ou moins grand degré d'intimité que l'on entretient avec la personne à laquelle on s'adresse, ou simplement du désir que l'on a d'être poli.

LA DEMANDE

Situation : Vous allez prendre le train. Vous vous rendez à la Gare de Lyon (une grande gare parisienne). Vous ne savez pas où elle se trouve. Vous arrêtez une personne dans la rue :

 ↘	La Gare de Lyon?	Insuffisant, limite de l'impolitesse.
 ↘	Pour aller à la Gare de Lyon?	Déjà plus clair.
→	Pour aller à la Gare de Lyon, *s'il vous plaît ?* *je vous prie ?*	A utiliser avec toute demande.
 ↗	*Pourriez-vous m'indiquer* le chemin pour me rendre à la Gare de Lyon?	Valeur de politesse identique à la précédente.
 ↗	*Pourriez-vous m'indiquer* le chemin pour me rendre à la Gare de Lyon, *s'il vous plaît ?* *je vous prie ?*	Redoublement de la marque de politesse.

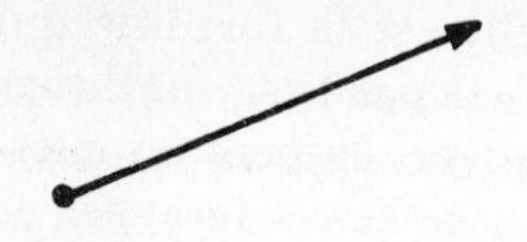

Auriez-vous l'obligeance de bien vouloir m'indiquer le chemin pour me rendre à la Gare de Lyon ?

A la limite de l'acceptable. Une telle demande ne nécessite pas l'emploi de toutes ces formules.

Notons aussi que dans certains cas, une question formulée ainsi : « Le train pour Dijon ? » peut vouloir dire : « A quelle heure part le train pour Dijon ? » ou bien « A quel quai se trouve le train pour Dijon ? » Voilà pourquoi il est nécessaire de préciser. Ajouter un « je vous prie » ou un « s'il vous plaît » en fin de phrase relèvera de la plus élémentaire des politesses.

ATTENTION

Il ne faut pas placer constamment des « s'il vous plaît » dans la conversation.

NE PAS DÉRANGER

Donner un ordre, demander quelque chose, c'est aussi déranger quelqu'un, l'interrompre dans ses occupations. Il est bon de marquer que l'on est conscient de cela ; vous vous en excuserez.

Situation : Vous rentrez dans un bureau pour demander un renseignement à une personne qui est en train de travailler. Vous pouvez dire :

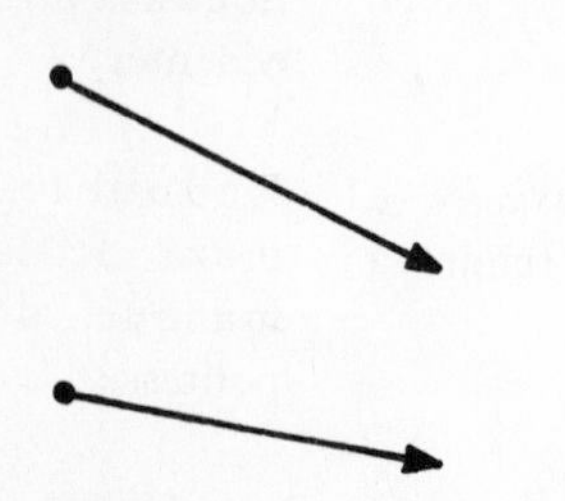

Le service des bourses ?

Le service des bourses, c'est ici ?

Formules difficilement acceptables. Il faut s'excuser de déranger la personne à qui l'on pose la question.

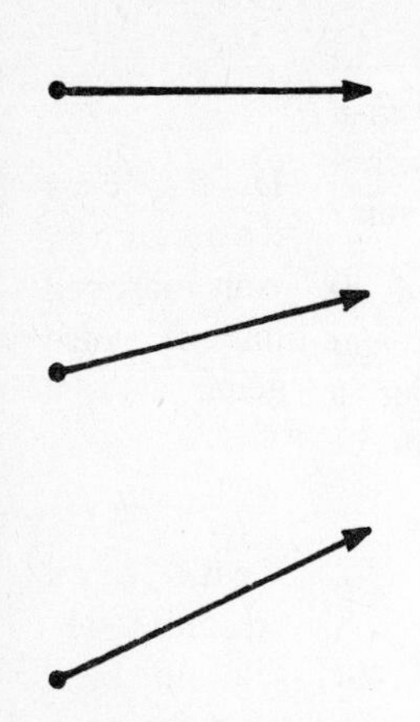

Pardon, le service des bourses, *s'il vous plaît ?* (je vous prie).

Excusez-moi, *madame* / *monsieur*, le service des bourses, s'il vous plaît ?

Je m'excuse de vous déranger, mais *pourriez-vous* m'indiquer le service des bourses, *s'il vous plaît ?*

Avec les personnes que l'on connaît un peu mieux, collègues de travail, amis, relations, vous direz :

— Dis-moi / dites-moi, tu sais / vous savez | où se trouve le service des bourses ?

— Le service des bourses, | tu sais / vous savez où il se trouve ?

Situation : Il est six heures du soir. Les employés vont bientôt quitter le bureau. Il reste une affaire urgente à traiter avant de partir. Un chef de service convoque une secrétaire pour terminer ce travail. Vous êtes ce chef de service, vous direz :

Je m'excuse de / *Excusez-moi de* vous déranger, madame, mais pourriez-vous m'aider à achever ce travail ?

Vous êtes conscient de déranger cette personne, mais cela ne vous gêne pas trop.

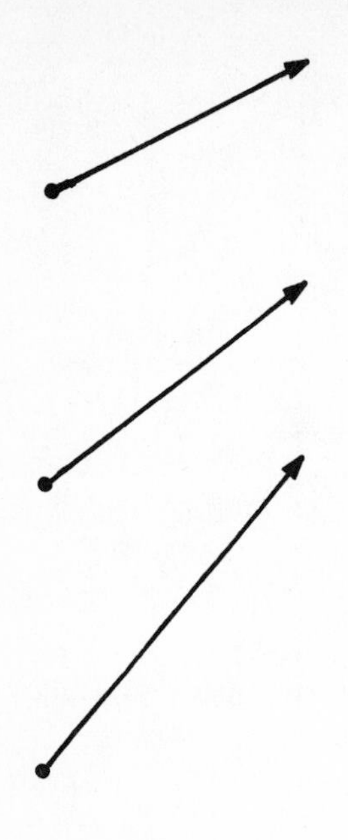

Je ne voudrais pas vous déranger, mais *vous serait-il possible* de m'aider à achever ce travail pour ce soir ?

Si je ne craignais pas de vous déranger, je vous demanderais de m'aider à achever ce travail pour ce soir.

Dans ces deux cas, vous marquez mieux votre gêne.

Je regrette
Je suis désolé
Je suis confus d'avoir à vous déranger, *mais pourriez-vous*
vous serait-il possible de m'aider à achever ce travail pour ce soir ?

Vous êtes vraiment désolé ou bien vous craignez un refus. Vous essayez de le prévenir ainsi.

DIRE « NON »

Accepter est facile. Il suffit de dire « oui », d'ajouter même « avec joie », « avec plaisir » ou « volontiers » et cela suffira.

Dire « non » est beaucoup plus difficile, car cela revient à opposer un refus à une personne qui s'attendait à une autre réponse. Le savoir-vivre exige que l'on fasse « passer » ce *non* le moins douloureusement possible, en essayant de ménager la personne à qui ce *non* est destiné.

Situation : Un collègue ou un ami vous invite à dîner chez lui un soir de la semaine suivante. Vous n'avez pas envie d'y aller. Vous direz :

Non, je n'en ai pas envie.

Vous vexerez votre interlocuteur. Formule à déconseiller.

Je regrette *Je suis désolé*, mais *je ne pourrai pas* venir. Je suis | *sincèrement* | *réellement* | désolé | navré, mais je ne pourrai pas venir.	Dans ces deux cas, les formules d'introduction rendent le refus moins brutal, mais il manque une justification.
Je suis (sincèrement) désolé, mais je ne pourrai pas venir, car ce jour-là | je suis déjà invité chez... | je dois me rendre à...	Vous trouvez une raison pour justifier ce refus.

Vous pourrez ajouter en guise de consolation...

mais | ce sera pour une autre fois,
| ce n'est que partie remise.

| c'est vraiment dommage | quel dommage | comme c'est dommage, mais je suis déjà invité ce jour-là chez des amis je serai absent ce jour-là de Paris.	La marque du regret est beaucoup plus forte.
Comme c'est | gentil | aimable à vous d'avoir songé à moi, mais ce jour-là je serai absent de Paris.	La marque du regret est encore plus forte.

Ceci vaut surtout pour des refus entre personnes qui se connaissent déjà, sur des sujets qui relèvent plus de la vie personnelle ou privée que de la vie professionnelle. S'il s'agit de situations qui relèvent de la vie sociale ou de la vie professionnelle, l'éventail des réponses sera plus réduit, l'expressivité bien moins grande.

Situation : Vous travaillez chez un éditeur. Vous accueillez dans votre bureau une personne qui vous a présenté le mois précédent un manuscrit de roman en vue de son édition. Il apparaît que ce manuscrit ne présente aucun intérêt. Son auteur revient vous voir. Vous allez lui dire :

Nous n'éditerons pas votre manuscrit. Nous ne pouvons pas éditer votre manuscrit.	En fait, on ne s'exprime jamais ainsi. Le refus est trop brutal, sauf si l'on a affaire à quelqu'un à qui l'on a déjà dit non à plusieurs reprises et qui insiste.
| *Je regrette* | *Je suis désolé, mais* nous ne pouvons pas éditer votre manuscrit.	Une justification est nécessaire.
Je suis (nous sommes) | désolé(s) | navré(s), mais nous ne pouvons pas éditer votre manuscrit, notre maison ne publie pas ce genre de texte / le roman en ce moment se vend mal, etc.	Refus avec justification.

Comprenez-moi bien *Entendons-nous bien,* ce n'est pas que ce manuscrit soit dénué d'intérêt (il est loin d'être dénué d'intérêt / d'être inintéressant), mais il ne correspond pas au genre de textes que publie notre maison.	Vous désirez, manifestement ne pas faire de la peine à la personne à laquelle vous vous adressez. Vous essayez de la consoler.
Cher monsieur, en ce moment, le roman se vend mal. *Mettez-vous à ma place,* on vous propose un roman. Pourriez-vous vraiment l'accepter ?	La forme la plus habile du refus, puisque ce sera à l'autre personne elle-même de décider du refus.

PAS D'ACCORD

Quelqu'un peut vous affirmer quelque chose. Vous pouvez très bien ne pas être d'accord et dire le contraire : « Non, parce que... ». Dans certains cas, toutefois, il n'est pas possible de marquer nettement ce désaccord, soit parce que vous vous adressez à un supérieur hiérarchique très haut placé et que ce désaccord risque d'être très mal pris ou interprété, soit parce que la personne à laquelle vous vous adressez, et à laquelle vous ne voulez pas faire de peine, risque de prendre très mal l'expression de ce désaccord. Il convient de la préparer à accepter ce désaccord. On peut alors recourir à différentes expressions en fonction de l'écart qui existe entre la proposition qui vous est faite et ce que vous en pensez.

Situation : Dans l'entreprise où vous travaillez, vous êtes un jour convoqué dans le bureau du P.-D.G. (Président-Directeur général). Ce dernier vous soumet un projet auquel il tient beaucoup et vous demande votre avis. Vous le lui donnez.

Importance de l'écart **Vous direz**

Lui **Vous**

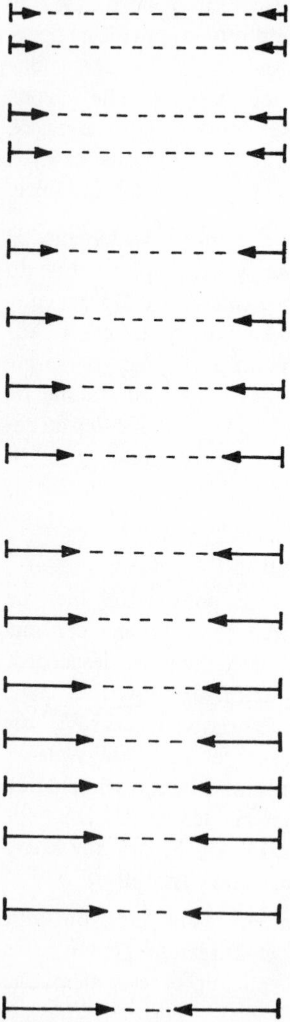

— Ce projet *ne* pourra *pas* être appliqué.

— *Je ne pense pas que* ce projet puisse être appliqué.

— *Je ne crois pas que* ce projet puisse .....

— Vous *m'étonnez* / *me surprenez en me disant que* ce projet pourra réussir.

— *Je serais surpris* / *étonné que* ce projet réussisse.

— *Cela m'étonnerait* / *cela me surprendrait* **fort** *que* ce projet réussisse.

— *Cela m'étonnerait* / *me surprendrait que* ce projet réussisse.

— Il est *peu* / *guère* *probable* / *vraisemblable que* ce projet réussisse.

— *Il n'est pas impossible* que ce projet réussisse.

— *Il n'est pas* **du tout** *impossible que* ce projet réussisse.

— *Il est possible que* ce projet réussisse.

— Ce projet réussira *peut-être.*

— Ce projet peut *apparemment* réussir.

— Ce projet réussira *vraisemblablement.* / Il est vraisemblable que ce projet réussira.

— Ce projet réussira *certainement* / *sans nul* / *aucun doute.*

— *Il est sûr* / *certain* que ce projet réussira.

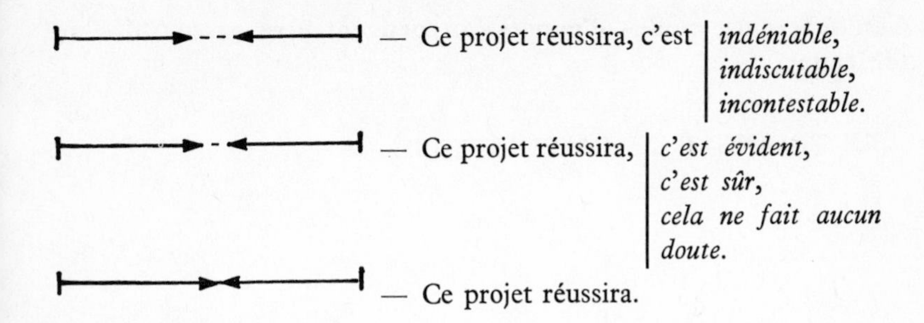

— Ce projet réussira, c'est | *indéniable,* *indiscutable,* *incontestable.*

— Ce projet réussira, | *c'est évident,* *c'est sûr,* *cela ne fait aucun doute.*

— Ce projet réussira.

ENTRE AMIS

Le fait de se trouver entre amis facilite considérablement les échanges et les contacts. Tout devient beaucoup plus simple. Mais l'amitié n'exclut pas toutefois la politesse ni le souci de déranger le moins possible les gens.

Situation : Vous avez besoin, par exemple, d'un livre pour achever l'étude d'une question. C'est votre ami qui le possède. Vous désirez le lui emprunter. Vous pouvez lui dire :

— J'ai besoin de ce livre pour achever l'étude dont je t'ai parlé. *Ça ne te dérangerait pas de* me le prêter ?

— J'ai besoin de ce livre pour... *Tu veux bien* me le prêter ?

— J'ai besoin de... | *Tu peux me* le prêter ? *Ça ne te gênerait pas de...*

— Si tu pouvais me prêter ce livre, | ça me rendrait un grand service, tu serais très gentil(le).

Si vous voulez insister, vous pourrez dire :

— Sois gentil, prête-moi ce livre, | tu me rendras un grand service.

Ces différents modes d'expression peuvent être rassemblés en tableau :

LE TRIANGLE DE LA POLITESSE

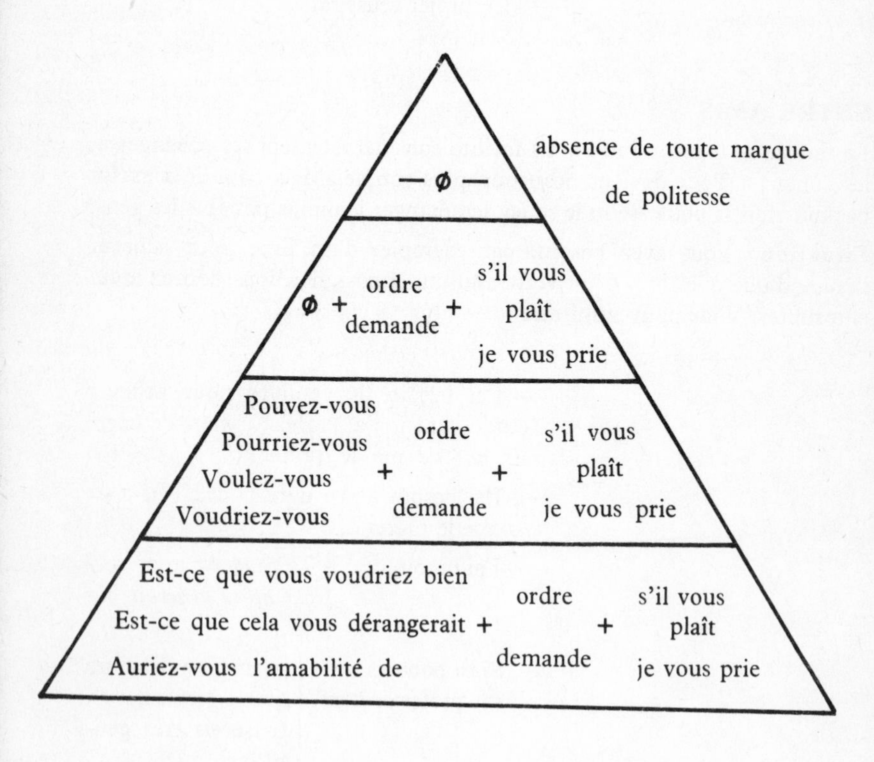

La politesse est une qualité fondamentale, à condition bien entendu de ne pas trop en abuser. Être poli, certes, mais sans excès, sinon on pourrait écrire à votre sujet ce petit poème intitulé :

LIMERICK DES GENS
EXCESSIVEMENT POLIS

Excusez-moi je vous en prie
disait le Monsieur Très Poli
tout ourlé de Bonnes Manières
quand il croisait un dromadaire

Je suis charmé vraiment ravi
disait le Monsieur Si Gentil
en rencontrant rue de Lisbonne
un pangolin avec sa bonne

Je vous présente mes respects
disait le Monsieur Circonspect
en dépassant dans l'escalier
un I sans point très essoufflé

Veuillez agréer mes hommages
disait le Monsieur Tout en Nage
en arrivant très en retard
au bal masqué des nénuphars

Après vous je n'en ferai rien
dira le Monsieur Vraiment Bien
lorsque la Mort sonnant chez lui
le trouvera toujours poli

L'ennui avec les gens polis
c'est qu'ils n'en ont jamais fini
tout en saluts tout en courbettes
mais trop polis pour être honnêtes.

Claude Roy, *Enfantasques*, Gallimard.

SITUATION 1

L'homme qui est à gauche sur la photo est un homme d'affaires, de passage à Paris, et il ne connaît pas bien la capitale. Il demande un renseignement à un monsieur qu'il vient de rencontrer (à droite sur la photo).

Comment se sont-ils abordés ? Quelles ont été les premières paroles qu'ils ont dû échanger ?

Que se diront-ils, que feront-ils en se quittant ?

SITUATION 2

Vous êtes cette personne. Vous avez été invitée au restaurant. Vous venez de consulter le menu. A vous voir, il ne doit rien présenter de bien enthousiasmant à manger.
Vous voudriez aller manger ailleurs.

1 / Vous avez été invitée par votre mari. Qu'allez-vous lui dire ?

2 / Vous avez été invitée par votre chef de bureau. Qu'allez-vous lui dire ?

3 / Vous avez été invitée par une de vos amies. Qu'allez-vous lui dire ?

4 / Vous avez été invitée par un collègue de bureau. Qu'allez-vous lui dire ?

SITUATION 3

Le client / Je refuse de payer ces suppléments.
L'employée / Vous devez les payer.

Mais ces deux personnes sont très polies. Elles ne vont pas s'exprimer de manière aussi brutale. Que vont-elles dire ?

SITUATION 4

Vous êtes cette personne. Vous venez de goûter ce café. A vous voir, il n'a pas l'air très bon.

En voyant votre expression, la personne qui est en face de vous s'inquiète. C'est elle qui a préparé et qui vous a offert ce café.
Cette personne vous demande alors ce qui ne va pas.

1 / Cette personne est une amie. Que lui dites-vous ?
2 / Cette personne est votre mari. Que lui dites-vous ?
3 / Vous ne voulez absolument pas faire de peine à la personne qui vient de faire ce café. Qu'allez-vous lui dire ?

3

SITUATION 5

1er cas :

Cet employé signale à la directrice de son entreprise une erreur dans ses prévisions. Comment va-t-il le lui dire ?

2e cas :

La directrice n'est pas d'accord avec une proposition de cet employé. Comment va-t-elle le lui dire ?

SITUATION 6

Une personne vient de monter dans cet autobus. Elle est accompagnée d'un enfant de dix ans. Le conducteur veut faire payer place entière. La personne ne veut pas.

1 / Comment le dialogue va-t-il commencer?

2 / Cinq minutes après, les avis n'ont pas changé. Comment le dialogue a-t-il évolué?

SITUATION 7

Cette personne demande l'heure à quelqu'un.

Que devra-t-elle dire exactement suivant qu'elle demande l'heure :

— à un ami qu'elle connaît bien.

— à un collègue de bureau qu'elle voit de temps en temps.

— à une personne inconnue qui passe à ce moment-là dans son bureau.

— à un supérieur hiérarchique.

6

7

On vous dit...

A la façon dont les gens s'adressent à vous, il vous est facile de voir s'ils vous accueillent avec plaisir, avec indifférence ou bien avec hostilité. A la façon dont ils vous demandent quelque chose, vous verrez comment ils vous considèrent. Êtes-vous capable de le reconnaître ?

On vous demande...

Vous travaillez dans un bureau. On vous demande un dossier, le dossier Merlin. Mettez une croix en face de la flèche qui, par son inclinaison vous paraît le mieux représenter l'attitude de la personne qui s'adresse à vous.

1 / Le dossier Merlin, tout de suite.

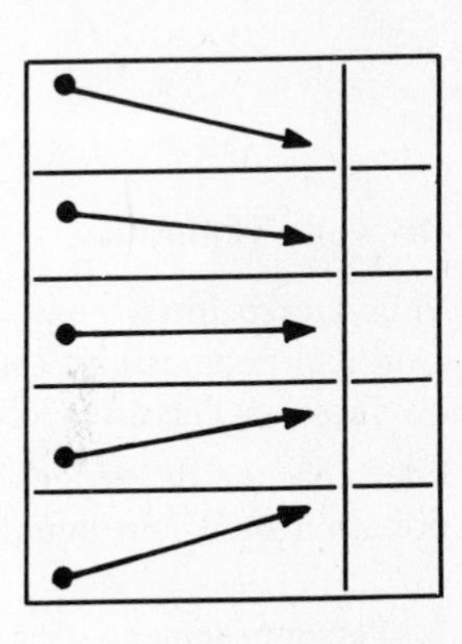

2 / Désolé de vous déranger. Vous pourriez me passer le dossier Merlin, s'il vous plaît ?

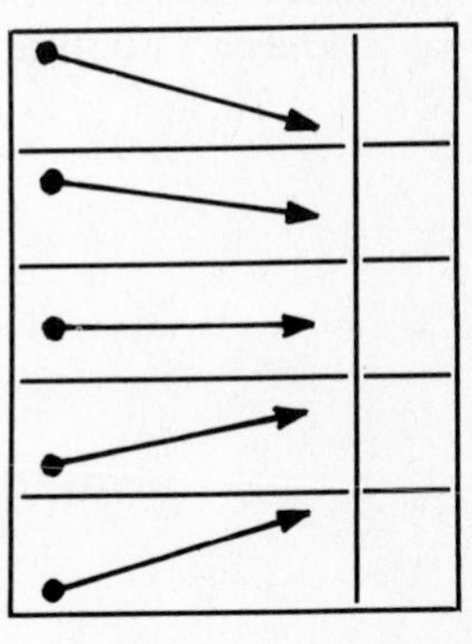

3 / Le dossier Merlin, s'il vous plaît.

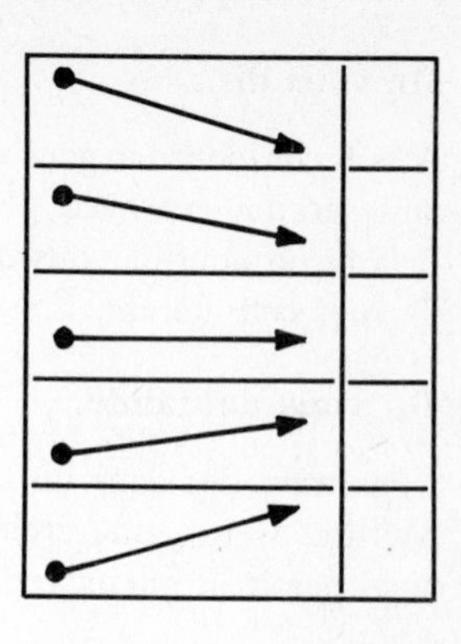

On vous répond...

Vous êtes peintre, vous venez de terminer un tableau. Vous demandez à un ami de vous dire comment il le trouve. Vous voulez savoir s'il aura du succès à l'occasion d'une prochaine exposition.

Pour chacune des réponses données, mettez une croix en face de l'interprétation qu'il faut donner de ses paroles.

1 / Personnellement, je ne m'y connais pas très bien en peinture moderne.

il n'aime pas, il le dit franchement	
il n'aime pas, mais il n'ose pas le dire	
il n'a pas d'opinion	
il aime	

2 / Je ne crois pas que ce tableau ait du succès.

il n'aime pas, il le dit franchement	
il n'aime pas, mais il n'ose pas le dire	
il n'a pas d'opinion	
il aime	

3 / Il n'est pas du tout impossible que ce tableau ait du succès.

il n'aime pas, il le dit franchement	
il n'aime pas, mais il n'ose pas le dire	
il n'a pas d'opinion	
il aime	

On vous dit... OUI... NON ?

Il est souvent facile, à la façon dont une personne commence sa phrase, de savoir si elle va répondre **oui** ou **non** à la question ou à la demande que vous aviez faites.

Par exemple, il y a un mois de cela, vous aviez demandé, auprès de votre banque, un prêt destiné à l'achat d'un appartement. Vous vous rendez à la banque pour rencontrer la personne chargée des problèmes de prêt. Elle commence à vous dire...

Mettez une croix en face de la réponse à laquelle vous vous attendez.

1 / Nous avons bien examiné votre demande ainsi que le dossier que vous nous avez transmis et...

On va vous répondre			
oui		non	

2 / Comme vous le savez, mon cher monsieur, la politique de crédit est en ce moment soumise à des contraintes très strictes et...

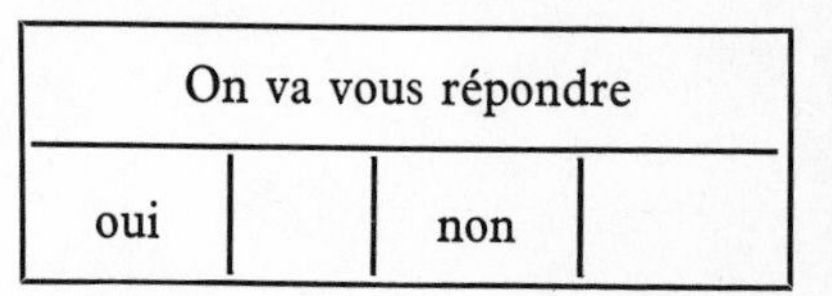

On va vous répondre			
oui		non	

3 / J'ai le plaisir de pouvoir vous dire que...

On va vous répondre			
oui		non	

4 / Cher monsieur, vous êtes un de nos vieux clients, et croyez-le bien, en toute autre occasion, nous aurions été heureux de...

On va vous répondre			
oui		non	

Savoir écrire

Écrire une lettre est un acte courant de la vie sociale. En dehors des problèmes de présentation matérielle et d'organisation du contenu de la lettre (voir *Écrire à tout le monde* de R. Lichet), se pose aussi la question du choix des formules de présentation et de salutation.

En effet, de la même manière que dans une rencontre (voir p. 5), les formules de présentation et de salutation varient selon la personne à laquelle on s'adresse, son rang social, la nature des liens qui sont établis entre elle et vous.

Savoir écrire est bien la preuve d'un savoir-vivre.

Le commencement de la lettre

Tout dépendra de la personne à laquelle vous écrivez et de la nature de la lettre :

— s'agit-il d'une lettre officielle adressée à une administration, à un supérieur hiérarchique, d'une lettre d'affaire ?

— s'agit-il d'une lettre adressée à une relation, à une connaissance ?

— s'agit-il d'une lettre adressée à un parent ou à un ami intime ?

1 / Lettre officielle

Vous nommerez le destinataire en l'appelant par le titre de la fonction qu'il occupe.

— Monsieur le Directeur,
— Monsieur le Secrétaire général,
— Monsieur le Chef de Service,
— Monsieur le Président, ...

Si vous adressez une lettre à une personne qui a même rang que vous au plan professionnel, vous écrirez :

— Cher collègue,
— Cher confrère (entre avocats, médecins, membres des professions libérales).

S'il s'agit d'une correspondance ordinaire, lettre de commande à un fournisseur, par exemple, vous écrirez :

— Monsieur,
— Madame,

2 / Lettre adressée à une relation, à une connaissance

Soit une lettre adressée à une personne que l'on connaît déjà. Vous commencerez par :

— Monsieur,
— Madame,

ATTENTION

On n'écrira pas
« Mon cher Monsieur » ou
« Ma chère Madame ».

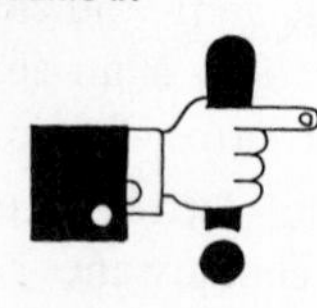

avec quelqu'un que vous connaissez assez peu, vous commencez par :

— Cher Monsieur,
— Chère Madame,
— Cher ami,
— Cher collègue,

lorsque des rapports cordiaux sont établis entre vous et cette personne, vous écrivez :

3 / Lettre adressée à un parent, un ami

— Mon cher ami (ma chère amie),
— Cher Jacques,
— Mon cher Jacques, Ma chère Jeanne,
— Mon cher oncle,
— Ma chère cousine,
(mais on peut aussi employer le prénom),

— Cher père / cher papa,
— Chère mère / chère maman.

La fin de la lettre

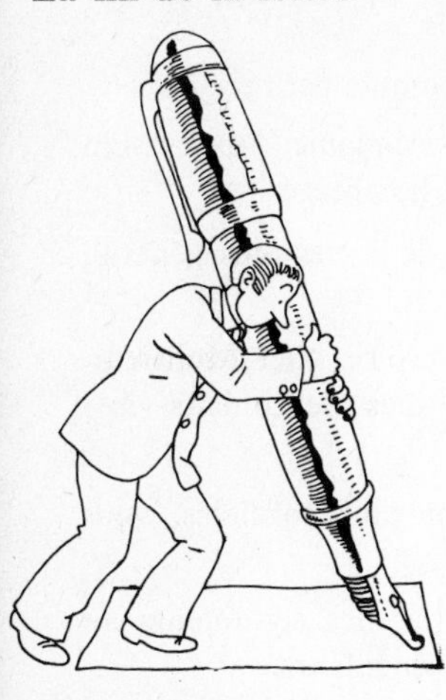

Les formules de salutation sont plus simples qu'autrefois. Mais il ne faut pas oublier cependant qu'elles dépendent, comme les formules de présentation, de la personne à laquelle vous vous adressez.

1 / Lettre officielle

Si vous vous adressez à un supérieur hiérarchique :

— Je vous prie de croire, Monsieur le..., à l'expression de mon profond respect ;

— Je vous prie d'agréer, Monsieur le..., l'expression de mon profond respect ;

(ces deux formules ne s'emploient qu'avec des personnes bien plus haut placées que vous.)

— Je vous prie de croire (veuillez agréer), Monsieur le..., à l'expression de mes sentiments dévoués ;

— Je vous prie de croire, Monsieur le..., à l'expression de mon respectueux dévouement ;

— Veuillez agréer, Monsieur le..., l'expression de mon respectueux dévouement.

Si vous vous adressez à un égal :

<table>
<tr>
<td>— recevez,
— veuillez agréer,
— veuillez croire à
— je vous prie de croire à
— je vous prie d'agréer</td>
<td>l'expression (l'assurance) de mes sentiments distingués (ou l'expression de mes salutations distinguées).</td>
</tr>
</table>

2 / Lettre adressée à une relation, à une connaissance :

A une femme, un homme écrira :

— Veuillez agréer, Madame, l'expression de mes respectueux hommages.

A un homme, dans le cas le plus général, vous pourrez écrire :

— Je vous prie de croire, cher Monsieur, à l'expression de mes sentiments distingués.

Si les relations sont plus cordiales, vous écrirez :

<table>
<tr><td>— Croyez,
cher Monsieur,</td><td>à mes sentiments les meilleurs,
à mes sentiments cordiaux,
à mes sentiments (très) amicaux ;</td></tr>
</table>

<table>
<tr><td>— Recevez, cher ami,
l'expression de mon</td><td>cordial
amical</td><td>souvenir.</td></tr>
</table>

Sinon, une formule très générale :

— Bien à vous.

Ces formules seront utilisées par une femme qui écrit à une femme.

3 / Lettre adressée à un parent, à un ami

A un ami

— Bien cordialement.
— Amicalement.
— Amitiés.
— Bien à toi.

A un(e) ami(e) cher(e), à un(e) parent(e)
— Je t'embrasse / je vous embrasse.
— Bons baisers.
— Affectueusement.

L'adresse sur l'enveloppe

Toujours écrire en toutes lettres :
— Monsieur Jean Thibault.
— Monsieur le Directeur.
— Madame Catherine Legrand.

Ne jamais écrire : M. Thibault ou Mme Thibault.

A un couple
— Monsieur et Madame Thibault,
et non l'inverse.

Pour une lettre officielle ou une lettre d'affaires

On indiquera le titre de la fonction occupée par la personne à laquelle on écrit :
— Monsieur le Directeur,
— Monsieur le Secrétaire général,

suivi du nom du service ou de l'organisme dans lequel travaillent ces personnes.

Si l'on désire marquer le caractère plus personnel de la correspondance, on écrira :
— Monsieur Jean Thibault
Chef de service de...

Les cartes de visite

Quelques mots pour ce type d'écrit assez particulier parce qu'il impose à la fois :

— la brièveté,

— la nécessité de s'exprimer à la 3e personne.

On les utilise en différentes occasions, essentiellement pour transmettre des vœux, des invitations, des nouvelles sous forme brève.

On en fait tout d'abord grand usage pour les vœux de Nouvel An. On reçoit :

> **Pierre Blanc**
> *vous présente ses meilleurs vœux à l'occasion de la nouvelle année.*

> **Pierre Blanc**
> *vous prie d'accepter ses vœux les meilleurs à l'occasion du Nouvel an.*

> **Monsieur et Madame Pierre Blanc**
> *vous présentent, ainsi qu'à madame N., leurs meilleurs vœux à l'occasion du Nouvel an.*

Vous pourrez répondre

> **Monsieur Gilles Lévèque**
> *très touché par vos vœux, vous transmet à son tour les siens pour l'année 1978.*

ou bien

> **Catherine Baufau**
> *vous remercie pour vos vœux et vous adresse à son tour les siens pour l'année 1978.*

En fait les formules peuvent être très variées. De toutes les manières, on n'utilise ce genre de correspondance qu'avec les personnes qui ne sont ni des parents ni des amis, plutôt des relations, des connaissances. Si l'on veut donner un tour plus personnel et amical à la correspondance, on peut barrer le nom sur la carte de visite et écrire à la première personne.

Félicitations

On peut vous avoir informé de la naissance d'un enfant, d'un mariage, de la réussite de quelqu'un à une épreuve ou de sa nomination à un poste élevé ; vous pouvez alors adresser vos félicitations.

Gilles Lévèque
vous adresse ses plus vives félicitations à l'occasion de la naissance de Stéfanie.

Monsieur et Madame Gilles Lévèque
adressent leurs plus vives félicitations et leurs meilleurs vœux de bonheur aux futurs époux.

Madame Gilles Lévèque
vous prie d'accepter ses plus sincères félicitations à l'occasion de votre nomination au poste de...

Les formules employées sont à peu près toujours les mêmes, c'est d'ailleurs pourquoi ce type de correspondance reste assez impersonnel :

Monsieur X.	adresse	ses meilleurs vœux		
	présente	tous ses vœux		
vous	transmet	ses vœux les meilleurs		pour
	prie d'accepter			à l'occasion de
		toutes ses	félicitations	
		ses plus sincères		
		ses plus vives		

Nous retrouvons donc dans la manière d'organiser et de présenter la lettre les mêmes degrés que dans les rencontres de la vie courante. Il faut être attentif à bien les respecter. Sous des apparences très libres, les gens cachent encore un souci très net du respect des hiérarchies, dans la correspondance encore plus qu'ailleurs. Ceci peut se résumer dans le tableau suivant :

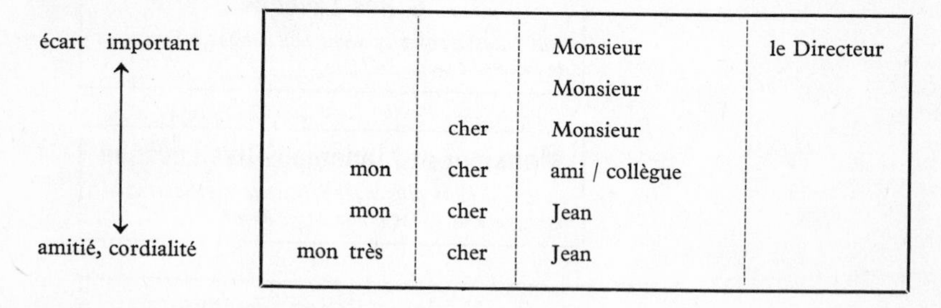

écart important ↑			Monsieur	le Directeur
			Monsieur	
		cher	Monsieur	
	mon	cher	ami / collègue	
	mon	cher	Jean	
↓ amitié, cordialité	mon très	cher	Jean	

écart maximum ↑	je vous prie de veuillez croire à accepter	agréer recevoir	l'expression de l'assurance de	mon profond	respect
				mes sentiments	respectueux dévoués distingués distingués
		agréez recevez croyez à acceptez	l'expression de l'assurance de	mes sentiments mes salutations	distinguées
				mes sentiments	les meilleurs amicaux cordiaux
			l'expression de	mon cordial mon amical	souvenir
↓ proximité amitié					cordialement amicalement amitiés bien à toi je t' / vous embrasse

On constatera aisément que les formules employées sont d'autant plus longues que l'écart entre vous et la personne à laquelle vous vous adressez est plus grand.

Pour conclure

En France, comme dans bien des pays de civilisation industrielle, les formes du savoir-vivre se sont réduites à une suite de règles relativement simples à suivre, cela dans le but évident de **faciliter les contacts entre les gens.**

Beaucoup de coutumes, d'usages qui avaient leur charme ont disparu. De ce point de vue, le savoir-vivre en France ressemble assez à celui qui se pratique dans des pays proches.

Cependant, insistons sur cet aspect : **sous des apparences égalitaires, les Français cachent un sens encore solidement installé de la hiérarchie.** Il ne peut être question de s'adresser, de parler, de saluer ou d'écrire à n'importe qui, n'importe comment.

Pays de vieille civilisation, la France n'a pas encore, peut-être ne l'aura-t-elle jamais, ce côté **décontracté,** très souple dans les relations que nous pouvons observer chez des nations plus jeunes, d'où de subtiles distinctions dans la manière de saluer, de dire ou d'écrire. On peut dire que la France **est plus guindée, plus formaliste** que les États-Unis, **plus souple, plus simple** que des pays tels que le Japon, l'Allemagne ou la Suède.

On pourra trouver un tel système de relations assez artificiel, inutile même. Cela, nous n'avons pas à en juger. Montaigne, qui fut un grand voyageur en son temps et fin observateur du comportement des hommes, concluait très simplement : « Chaque usage a sa raison. »

La forme la plus élémentaire du savoir-vivre sera justement **de respecter ces usages.** Ils ont certainement leur raison. C'est la manière à eux qu'ont les Français de vivre ensemble.

Hiérarchie : organisation de la société en groupes placés les uns au-dessus des autres, ceux du haut étant considérés comme supérieurs aux autres et méritant ainsi le respect.
Décontracté : qui ne s'inquiète pas, qui ne se pose pas de problèmes.
Guindé : qui manque de naturel.
Formaliste : qui observe les formes, les règles.

Corrigés des exercices

Les réponses qui sont données ici le sont à titre purement indicatif; dans bien des cas, en effet, il serait possible de s'exprimer autrement.

Situation 1 (p. 22)

1er cas : Lui serrer la main ou l'embrasser.
« Bonjour, Françoise, comment allez-vous / comment vas-tu ? »

2e cas : L'embrasser.
« Bonjour, Françoise, comment vas-tu ? »

3e cas : Lui serrer la main.
« Bonjour, madame, comment allez-vous ? »

4e cas : Incliner légèrement la tête.
« Pardon, madame, pourriez-vous m'indiquer... »

Situation 2 (p. 23)

1er cas : « Bonjour, madame, que puis-je pour vous ? »

2e cas : « Bonjour / salut, Pierre, ça va ? »

3e cas : « Bonjour, monsieur le directeur, comment allez-vous ? »

Situation 3 (p. 24)

1er cas : Pierre — Bonjour, mademoiselle, pourriez-vous me dire si...
Mireille — Bonjour, monsieur, que désirez-vous ?

2e cas : Pierre — Bonjour, Mireille, comment ça va / ça va bien ?
Mireille — Bonjour, et toi ça va ?

3e cas : Pierre — Bonjour, mademoiselle. S'il vous plaît, il me faudrait...
Mireille — Tout de suite, monsieur.

4e cas : Pierre — Bonjour, Mireille, ça va bien ?
Mireille — Bonjour, Pierre, ça va, et toi ?

Situation 4 (p. 25)

1er cas : Alors, Lucien, il y a une heure que je t'attends, qu'est-ce qui se passe ?

2e cas : Alors, Blanchet, qu'est-ce qui se passe, ça fait un moment que je vous attends.

3e cas : — Alors, mon vieux / Lucien / Blanchet /, ça fait un moment que je t'attends, qu'est-ce qui se passe ?

4e cas : — Ah, je vous retrouve enfin, monsieur, qu'est-ce qui se passe ?

Situation 5 (p. 26)

1er cas : Il va leur serrer la main en disant : « Bonjour, messieurs / Bonjour, Tardieu / Bonjour, Bally, ça va bien ? / Comment ça va ? »
Les collègues répondront : « Bonjour, Fabre / Salut, Fabre, comment ça va ? »

2e cas : Il va leur serrer la main en disant : « Au revoir, messieurs, à demain / au revoir, Tardieu / Au revoir, Bally, à demain » Ils répondront : « A demain, Fabre. »

3e cas : Il peut leur serrer la main, mais ce n'est pas obligatoire et leur dire :
« Bonjour, messieurs, comment ça va ? / comment allez-vous ? »
Ils répondront :
« Bonjour, / monsieur le directeur. / Comment allez-vous ? »
/ monsieur.

P. 32

1 / Ce sont deux amies.
2 / (image 2)

1er cas : « C'est fort regrettable. Mais vous m'excuserez, je dois partir immédiatement. »

2e cas : « C'est fort regrettable. Il faudrait que nous en reparlions plus longuement. Mais j'ai un rendez-vous auquel je dois me rendre immédiatement. Ça ne vous dérangerait pas de me retéléphoner à ce sujet ? »

3 / (image 3) : « Je sais que vous êtes pressé, et ça m'ennuie (je suis désolé de vous déranger, mais... »

4 / (fin de la conversation) : « Excuse-moi de t'avoir parlé ainsi, mais j'étais très énervée. (Je suis désolée / Je regrette de t'avoir parlé ainsi.)... »

P. 92 : Situation 3

1 / « Je crois qu'il y a une erreur dans l'addition. »
« Il me semble que vous vous êtes trompé dans l'addition. »

2 / « Je regrette, mais le service est compris, c'est indiqué sur le ticket. »
« Le service est compris, c'est indiqué sur le ticket, je regrette (je suis désolé). »

P. 95

1 /

Le dossier Merlin, tout de suite.

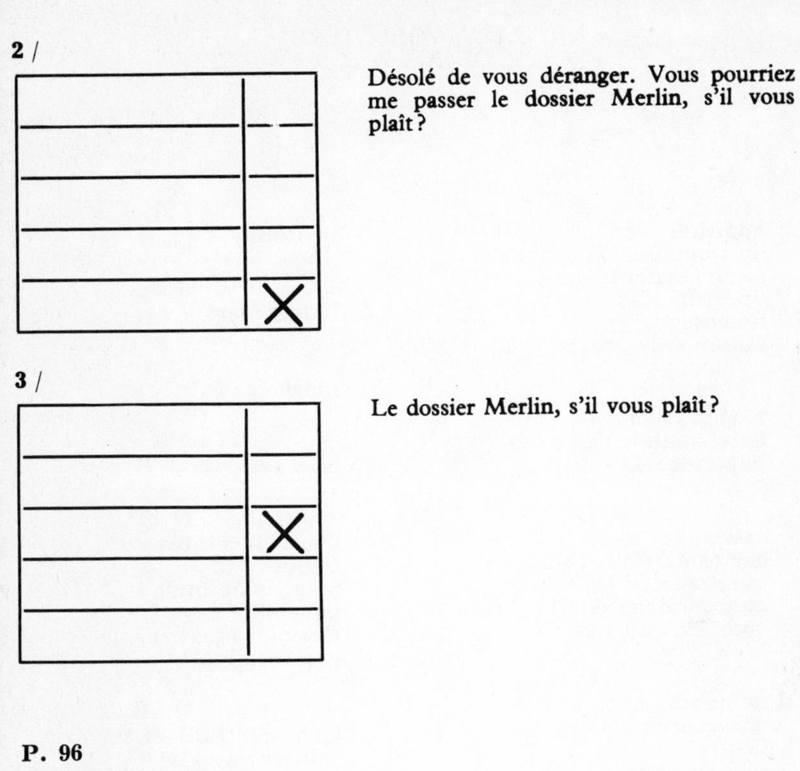

2 /

Désolé de vous déranger. Vous pourriez me passer le dossier Merlin, s'il vous plaît ?

3 /

Le dossier Merlin, s'il vous plaît ?

P. 96

1 / Soit :
— Il n'aime pas et il n'ose pas le dire.
— Il n'a pas d'opinion.

2 /
— Il n'aime pas, il le dit franchement.

3 / Soit :
— Il n'a pas d'opinion.
— Il n'aime pas, mais il n'ose pas le dire.

P. 98

1 / Il y a des chances pour que l'on vous réponde *oui*, mais ce n'est pas sûr du tout.

2 / On va vous répondre certainement *non*.

3 / On va vous répondre *oui*.

4 / On va vous répondre *non*.

LE SAVOIR-VIVRE DE A... A Z...

Imprimé en France, par Hemmerlé, Petit et Cie. Paris. 2654-07-1982
Dépôt légal n° 5215-07-1982. Collection n° 06. Édition n° 03

15/4566/4